D0528709

U.G.E. **10|18**

12, avenue d'Italie - PARIS XIIIᵉ

UN REGARD
D'ADIEU

PAR

ROSS MACDONALD

Traduit de l'américain
par Michel DEUTSCH

10|18

« Grands Détectives »
dirigé par Jean-Claude Zylberstein

Titre original :
The Goodbye Look

1

John Truttwell me faisait attendre dans l'anti-
chambre de son bureau d'avocat. L'atmosphère de
la pièce me pénétrait insidieusement. Assis dans un
fauteuil recouvert de cuir souple, vert pâle, j'étais
environné de toiles – paysages et marines – qui
étaient comme autant d'affiches subtiles de propa-
gande régionaliste.

La réceptionniste à cheveux roses plantée devant
son standard se retourna. Elle semblait me regarder
à travers des barreaux, à cause des traits épais de
crayon noir qui accentuaient ses yeux.

– Je suis désolée que Me Truttwell se soit mis en
retard à ce point. C'est à cause de sa fille, ajouta-
t-elle... Il devrait la laisser courir sa chance. Tant pis
si elle fait des bêtises. C'est comme moi...

– Vraiment?

– En fait, je suis modèle de métier. Si je fais ce
travail, c'est parce que mon second mari m'a plaquée. Vous êtes vraiment un détective? (Je fis oui
de la tête.) Moi, mon mari est photographe. Je
donnerais gros pour savoir avec qui... où il vit.

– Pensez à autre chose, cela vaudra mieux.

– Vous avez peut-être raison. D'ailleurs, c'est un
mauvais photographe. Des gens qui s'y connaissent

5

m'ont dit que les photos qu'il a faites de moi ne me rendent pas justice.

Cette fille me faisait pitié.

Un homme parut dans l'encadrement de la porte. Dans les cinquante-cinq à soixante ans. Grand, large d'épaules, habillé avec élégance, il était beau et il le savait. Ses épais cheveux blancs étaient coiffés avec un soin minutieux comme était minutieusement étudiée l'expression de son visage.

– Monsieur Archer? John Truttwell... (Il me serra la main avec un enthousiasme mitigé et me précéda dans le couloir conduisant à son bureau.) Merci grandement d'être venu de Los Angeles si promptement. Je m'excuse de vous avoir fait attendre. En principe, je suis en semi-retraite, mais je n'ai jamais eu autant de tracas.

Truttwell n'était pas aussi désorganisé qu'il voulait bien le prétendre. Tandis qu'il me noyait sous les mots, ses yeux au regard froid et triste m'inspectaient attentivement. Il me fit asseoir en face de lui dans un fauteuil de cuir marron.

Un peu de soleil filtrait à travers les épais rideaux, mais la lumière était allumée et, dans la clarté crue qui baignait la pièce de son éclat artificiel, il paraissait artificiel, lui aussi, comme un mannequin de cire doué de la parole. Sur le mur, au-dessus de son épaule droite, était posée sur une étagère une photo encadrée représentant une jeune fille aux yeux clairs, sa fille sans doute.

– Au téléphone, vous m'avez parlé d'un M. et d'une Mme Lawrence Chalmers.

– En effet.

– De quoi s'agit-il?

– Je vais y venir dans un instant. Je voudrais d'abord, pour éviter tout malentendu, que vous sachiez que Larry et Irène Chalmers sont des amis. Nous habitons à deux pas d'ici, eux et moi, dans

Pacific Street. Je connais Larry depuis ma naissance. Nos parents, aussi, se connaissent depuis toujours. C'est au père de Larry, le juge Chalmers, que je dois l'essentiel de ma formation juridique, et ma défunte épouse était intime avec Mme Chalmers mère.

La façon dont Truttwell faisait parade de ses relations avait quelque chose d'affecté et d'irréel. Il passa distraitement sa main gauche sur les cheveux de sa tempe gauche comme s'il palpait un bijou de famille. Pour évoquer le passé, son regard et sa voix s'étaient faits rêveurs.

– Ce que je tiens à souligner, c'est que les Chalmers sont des gens... comment dire? Précieux. Précieux à mes yeux. Je vous serais obligé de les manipuler avec beaucoup de délicatesse.

Les fantômes de la grande société envahissaient la pièce, rendant l'atmosphère pesante.

– Comme des objets anciens? demandai-je, histoire d'essayer d'en exorciser un ou deux.

– En quelque sorte, mais pas des antiquités. Je les considère l'un et l'autre comme des objets d'art qui n'ont besoin d'avoir aucune utilité pratique. (Truttwell se tut, puis reprit comme frappé par une idée nouvelle :) Le fait est que Larry n'a pas grand-chose à son actif depuis la guerre. Certes, il a gagné beaucoup d'argent, mais même cela, ça lui est tombé comme une caille rôtie dans le bec. Sa mère lui a laissé un beau magot et, comme le marché du bétail a atteint des sommets vertigineux, il a amassé des millions de dollars.

La sourde envie qui transparaissait dans sa voix me donna à penser que ses sentiments à l'égard des Chalmers étaient ambigus et pas exclusivement idolâtres. Je ne pus m'empêcher de réagir à cette aigreur inavouée :

– Dois-je être impressionné?

Truttwell me regarda d'un air sévère, comme si j'avais émis un bruit incongru.

– Je me suis manifestement mal fait comprendre. Le grand-père de Larry Chalmers a combattu pendant la guerre de Sécession. Après quoi, il s'est établi en Californie et a épousé une héritière espagnole. Larry a fait une très belle guerre, lui aussi, mais il n'en parle jamais. Dans la société actuelle, cela lui confère une sorte d'aristocratie.

Il écoutait complaisamment la sonorité de sa phrase comme quelqu'un qui ne la prononce pas pour la première fois.

– Et Mme Chalmers?

– Il ne viendrait à l'esprit de personne de la qualifier d'aristocrate. Mais, enchaîna-t-il avec une chaleur inattendue, elle est drôlement belle. Que peut-on demander de plus?

– Vous ne m'avez toujours pas dit quel était leur problème.

– En partie parce qu'il demeure un peu obscur à mes propres yeux. (L'avocat saisit un feuillet jaune posé sur son bureau, l'examina en fronçant les sourcils.) J'espère qu'ils parleront plus librement à un étranger. D'après ce que m'a expliqué Irène, ils ont été cambriolés alors qu'ils étaient à Palm Springs durant un week-end prolongé. Un cambriolage assez bizarre. Selon elle, on n'a dérobé qu'un seul objet de valeur, une cassette d'or ancienne qu'ils gardaient dans le coffre du bureau. J'ai vu ce coffre. Le juge Chalmers l'avait fait installer dans les années 20. Il ne doit pas être facile à fracturer.

– Les Chalmers ont prévenu la police?

– Non, et ils n'ont pas l'intention de le faire.

– Ont-ils des domestiques?

– Un Espagnol, un homme à tout faire qui n'habite pas la maison. Mais il y a plus de vingt ans qu'il est à leur service. D'ailleurs, c'est lui qui les a conduits à Palm Springs. (Il secoua sa blanche crinière.) Et pourtant, cela donne l'impression d'un cambriolage commis par un familier, n'est-ce pas?

– Soupçonnez-vous cet homme à tout faire d'être l'auteur du vol, maître?

– Je préfère ne pas vous dire où vont mes soupçons. Moins vous aurez d'idées préconçues, mieux cela vaudra. J'ai beau connaître assez bien Irène et Larry, ce sont des gens discrets. Je n'ai pas la prétention de tout savoir sur leur existence.

– Ont-ils des enfants?

– Un fils, Nicholas. (Le ton était impersonnel.)

– Quel âge?

– Vingt-trois ou vingt-quatre ans. Il termine ses études ce mois-ci.

– En janvier?

– Oui. Il a loupé un semestre pendant sa première année. Il est parti sans rien dire à personne et a entièrement disparu plusieurs mois.

– Donne-t-il actuellement du fil à retordre à ses parents?

– L'expression est un peu forte.

– Il aurait pu être l'auteur de ce cambriolage?

Truttwell marqua un temps. A en juger par les changements d'expression que je discernais dans son regard, il étudiait plusieurs réponses. Toute la gamme! Du réquisitoire au plaidoyer.

– Il aurait pu, laissa-t-il finalement tomber. Mais il n'avait aucune raison de voler ce coffret de sa mère.

– On peut quand même imaginer différents mobiles. S'intéresse-t-il aux femmes?

– Oui, fit-il d'un ton raide. Il se trouve qu'il est fiancé à ma fille Betty.

– Pardonnez-moi.

– Il n'y a pas de mal. Vous ne pouviez évidemment pas le savoir. Mais faites attention à ce que vous direz aux Chalmers. Ils mènent une existence archifeutrée et je crains fort que cette histoire ne les ait bouleversés. Pour eux, leur maison bien-aimée est un temple désormais profané.

Il froissa la feuille de papier, en fit une boule qu'il jeta dans la corbeille avec impatience. J'eus l'impression qu'il aurait été heureux d'être débarrassé des Chalmers, fils et problèmes inclus.

2

Montant de la ville basse aux maisons lépreuses jusqu'aux hauteurs résidentielles, Pacific Street était une manière de purgatoire. La résidence hispano-californienne des Chalmers devait dater d'environ un demi-siècle mais, dans l'éclat du soleil de cette fin de matinée, ses murs étaient d'une blancheur immaculée.

Je traversai la cour dallée et heurtai à la porte aux feuillures de fer. Un valet de chambre vêtu de noir, masque de moine espagnol, ouvrit, me demanda mon nom, disparut après m'avoir introduit dans le vestibule, une pièce immense haute de deux étages. D'abord, je me sentis tout petit. Puis, en réaction, très grand et outrecuidant.

J'apercevais une vaste grotte blanche : le salon. Des toiles modernes en illuminaient les murs. On y accédait par des grilles de fer forgé qui arrivaient presque à hauteur d'homme. Le tout faisait musée.

La femme brune qui arriva, venant du jardin, avait une telle présence qu'elle dissipa en partie cette impression. Elle tenait à la main un sécateur et une rose rouge. Elle posa l'outil sur la table mais conserva la fleur dont la teinte s'harmonisait à merveille à ses lèvres. Son sourire était chaleureux et, en même temps, anxieux.

– Je m'imaginais que vous seriez plus âgé, fit-elle.

– Je suis plus vieux que je n'en ai l'air.

– Mais j'avais demandé à John Truttwell de convoquer le directeur de l'agence.

– Le personnel de l'agence se réduit à un seul homme. Je fais appel à d'autres détectives en cas de nécessité.

Son front se plissa.

– Cela me paraît un peu maigre.

– Mon entreprise n'est pas gigantesque. Evidemment, si c'est une grosse boîte que vous voulez...

– Pas du tout. Je veux seulement avoir affaire à quelqu'un de vraiment compétent. Avez-vous déjà eu l'occasion de travailler avec... euh... (D'un geste circulaire, elle se désigna elle-même et toute la maison.) ... des gens comme moi?

– Je ne vous connais pas suffisamment pour vous répondre.

– Oui, mais... c'est de vous qu'il s'agit pour l'instant.

– Je suppose que Me Truttwell, en me recommandant, vous a dit que je ne manquais pas d'expérience.

– J'ai le droit de poser les questions qui me plaisent, n'est-ce pas?

Son ton était autoritaire et, pourtant, manquait d'assurance. Elle s'exprimait comme une jolie femme qui a épousé le gros sac en même temps qu'une position sociale et qui n'oublie pas un instant combien il est facile de perdre l'un et l'autre.

– Posez toutes les questions que vous voudrez, madame Chalmers, je vous écoute.

Elle soutint mon regard. On aurait dit qu'elle

essayait de lire dans ma pensée. Elle avait des yeux d'un noir intense et impénétrable.

– En vérité, une seule chose m'intéresse. Si vous retrouvez la cassette florentine... je suppose que John Truttwell vous en a parlé?

– Il m'a effectivement dit qu'un coffret en or avait disparu.

Elle acquiesça.

– Si vous la retrouvez et si vous mettez la main sur celui qui l'a prise, est-ce que les choses s'arrêteront là? N'irez-vous pas tout raconter aux autorités?

– Non. A moins que les autorités ne soient déjà mêlées à l'affaire?

– Elles ne le sont pas et il n'est pas question qu'elles le soient. Je tiens à ce que tout se passe le plus discrètement possible. Je ne voulais même pas mettre John Truttwell au courant, mais il m'a tiré les vers du nez. Néanmoins, j'ai confiance en lui... Enfin...

– Et vous n'avez pas confiance en moi?

Elle répondit à mon sourire en me giflant avec la rose qu'elle laissa ensuite tomber par terre comme si, désormais, elle n'en avait plus besoin.

– Venez dans le bureau, voulez-vous? Nous serons plus tranquilles.

Me précédant, elle gravit les quelques marches conduisant à une porte de chêne admirablement sculptée. Avant qu'elle l'eût refermée, j'eus le temps d'apercevoir le domestique qui ramassait le sécateur et la rose.

Le bureau était une pièce austère au plafond déclive, tout blanc, barré de poutres noires. Avec sa petite fenêtre à barreaux, il ressemblait à une cellule. De vieux traités de droit s'alignaient sur une étagère comme si le prisonnier qui y avait été séquestré avait cherché à s'en évader légalement.

12

Au mur qui faisait face au rayonnage était accrochée une vieille peinture à l'huile représentant Pacific Street. La perspective en était naïve. Un voilier du XVIIe était amarré dans une anse. Des Indiens nus à la peau bistre se prélassaient sur la plage et des soldats espagnols défilaient au-dessus de leurs têtes telle une armée s'ébranlant dans le ciel.

Mme Chalmers me fit asseoir dans un vénérable fauteuil pivotant recouvert en vachette, apparié à un bureau à cylindre.

– Ces meubles ne vont pas avec le reste, dit-elle, comme si cela avait de l'importance. Mais c'était le bureau de mon beau-père et c'était dans ce fauteuil qu'il présidait les séances du tribunal. Il était juge.

– Je le sais par Me Truttwell.

– Oui, John le connaissait. Moi, je ne l'ai jamais connu. Lawrence était tout petit quand il est mort, mais mon mari baiserait encore le sol sur lequel son père a posé le pied.

– Je serais heureux de rencontrer M. Chalmers. Est-il là?

– Non. Il est chez son docteur. Ce vol l'a mis dans tous ses états. D'ailleurs, ajouta-t-elle, je préférerais que vous ne lui parliez de rien.

– Sait-il que vous m'avez demandé de venir?

Penchée sur la longue table de chêne sombre, elle prit à tâtons une cigarette dans une boîte d'argent, l'alluma à l'aide d'un briquet de bureau assorti à la boîte. Elle aspira furieusement et un écran de fumée bleutée se déploya entre elle et moi.

– Lawrence répugnait à l'idée de faire appel à un détective. J'ai quand même décidé de m'adresser à vous.

– Pourquoi n'était-il pas d'accord?

– Mon mari tient à sa vie privée. Et le coffret volé

appartenait à sa mère. C'était un des admirateurs de celle-ci qui lui en avait fait cadeau. Je ne suis pas censée le savoir. (Elle eut un sourire malicieux.) De plus, elle y conservait des lettres.

– Les lettres de son admirateur?

– Non, celles de mon mari. Larry lui écrivait beaucoup pendant la guerre et c'était là qu'elle gardait ses missives. Celles-ci ont également disparu. Notez bien qu'elles n'avaient guère de valeur sauf, peut-être, pour mon époux.

– Et la cassette avait-elle de la valeur?

– Je le pense. Elle était en or et d'une très jolie facture. C'était une pièce de la Renaissance (elle trébucha sur le mot Renaissance) italienne. Elle avait été fabriquée à Florence. Elle était ornée d'un motif figurant deux amants enlacés.

– Etait-elle assurée?

Elle fit non de la tête et croisa les jambes.

– Nous n'en avons pas vu la nécessité. Elle ne quittait pas le coffre. Il ne nous est jamais venu à l'esprit qu'on pourrait le fracturer.

Je demandai à voir le coffre. Elle décrocha le tableau aux Indiens et aux soudards espagnols, révélant ainsi un gros coffre-fort cylindrique encastré dans le mur. Elle fit pivoter le cadran plusieurs fois et ouvrit. Je regardai par-dessus son épaule. Le coffre avait approximativement le diamètre d'un canon de seize pouces et il était tout aussi vide.

– Où sont vos bijoux, madame Chalmers?

– Je n'en ai guère. Les bijoux ne m'ont jamais intéressée. Les rares que je possède sont dans ma chambre. Dans un coffret. Ce coffret, je l'avais emporté quand nous sommes allés à Palm Springs. Nous étions là-bas quand le vol a eu lieu.

– Quand vous êtes-vous aperçue de la disparition de la cassette?

– Laissez-moi réfléchir. Nous sommes mardi. Je

14

l'ai mise dans le coffre jeudi soir. Nous sommes partis le lendemain matin. Elle a sûrement été volée pendant notre absence. Cela fait donc quatre jours au moins. J'ai ouvert le coffre hier soir en rentrant. Elle n'y était plus.

– Pourquoi hier soir seulement?

– Je ne sais vraiment pas.

Cela sonnait faux.

– Avez-vous des soupçons?

– Absolument aucun.

– Votre domestique?

– Ce ne peut pas être Emilio. Je me porte garante de lui.

– A-t-on pris autre chose en dehors de ce coffret?

Elle réfléchit.

– Je ne crois pas. Sauf les lettres, évidemment... les fameuses lettres.

– Elles avaient de l'importance?

– Pour mon mari, je vous l'ai déjà dit. Et pour sa mère aussi, bien entendu. Mais il y a longtemps qu'elle est morte. A la fin de la guerre. Je ne l'ai jamais connue.

Il y avait une ombre de tristesse dans sa voix comme si elle avait été frustrée d'une bénédiction maternelle et ne s'en était pas encore remise.

– Pourquoi les aurait-on dérobées?

– Que voulez-vous que je vous réponde? Sans doute parce qu'elles étaient dans la cassette. (Elle fit la moue.) Si vous les retrouvez, ne prenez pas la peine de les rapporter. On me les a déjà lues... la plupart d'entre elles en tout cas.

– On vous les a lues?

– C'est-à-dire que mon mari les lisait tout haut à Nick.

– Où est votre fils?

– Pourquoi cette question?

– J'aimerais lui parler.

– Eh bien, renoncez-y. (Elle faisait à nouveau la tête. Ce masque gracieux dissimulait une petite fille gâtée, me dis-je. Une simulatrice cachée à l'intérieur d'une statue de déesse.) J'aurais préféré que John Truttwell me conseille quelqu'un d'autre... n'importe qui.

– Qu'est-ce que j'ai fait de mal?

– Vous êtes trop curieux. Vous fourrez votre nez dans nos affaires de famille et je vous en ai déjà trop dit.

– Vous pouvez avoir confiance en moi.

Je regrettai aussitôt ces paroles.

– Vraiment?

– Il est arrivé à un certain nombre de gens de me faire confiance.

C'était affreux, je parlais comme un représentant. Mais je voulais m'occuper de cette femme, de cette petite histoire. Mme Chalmers était ce genre de beauté qui vous donne envie d'en explorer le passé.

– Et je suis certain que Me Truttwell vous conseillerait de ne rien me cacher. Quand je travaille pour un avocat, je jouis du même privilège que lui en ce qui concerne l'inviolabilité du secret professionnel.

– Qu'est-ce que cela signifie au juste?

– Que personne, pas même un grand jury (1) bénéficiant de pouvoirs discrétionnaires, ne peut m'obliger à révéler ce que j'ai découvert.

– Je vois.

Tout à l'heure, elle avait compris que j'étais disposé à me vendre et, maintenant, en un sens, elle pouvait m'acheter. Pas forcément avec de l'argent.

---

(1) L'équivalent approximatif de la chambre des mises en accusation. (N.d.T.)

– Si vous me promettez de ne parler de cela à personne, pas même à John Truttwell, je vous dirai quelque chose. Il se peut qu'il ne s'agisse pas d'un vol ordinaire.

– Vous pensez que le cambrioleur était un familier? Rien ne permet de croire que le coffre ait été forcé.

– Lawrence me l'a bien fait remarquer. C'est pour cela qu'il ne voulait pas que je m'adresse à vous. Il ne voulait même pas que j'en parle à John Truttwell.

– Qui suspecte-t-il?

– Il ne me l'a pas dit, mais je crains qu'il songe à Nick.

– Nick a-t-il déjà eu des ennuis?

– D'un autre genre.

Elle parlait si bas que j'entendais à peine. Elle s'était affaissée comme si la pensée de son fils pesait physiquement sur elle.

– Quel genre?

– Des problèmes psychologiques, comme on dit. Il s'est dressé contre Lawrence et moi sans aucune raison. A dix-neuf ans, il s'est enfui de la maison et il a fallu des mois pour le retrouver. Cela nous a coûté des milliers de dollars.

– Où est-il allé?

– Un peu partout. En fait, d'après le psychiatre, cela ne lui a pas fait de mal. Après, il s'est remis à ses études. Il s'est même trouvé une petite amie.

Il y avait une sorte de fierté ou d'espoir dans sa voix, mais son regard demeurait sombre.

– Et vous ne pensez pas que ce soit lui qui ait volé votre coffret?

Elle leva le menton.

– Non. Si je le croyais, vous ne seriez pas ici.

– Aurait-il été capable d'ouvrir le coffre?

– J'en doute. Nous ne lui en avons jamais confié la combinaison.

– Je présume que vous la connaissez par cœur. L'avez-vous notée quelque part?

– Oui.

Elle ouvrit le dernier tiroir du bureau, le retira complètement, le retourna. Les relevés de banque qu'il contenait s'éparpillèrent. Un feuillet portant une série de chiffres tapés à la machine était collé sous le fond du tiroir. Le papier était jauni et craquelé par l'âge; il était si vieux que les chiffres étaient presque illisibles.

– C'est une cachette qu'il n'est pas difficile de trouver, fis-je. Votre fils a-t-il des besoins d'argent?

– Cela m'étonnerait. Nous lui donnons six ou sept cents dollars par mois, davantage même, si c'est nécessaire.

– Vous avez fait allusion à une jeune fille?

– Il est fiancé à Betty Truttwell et l'on ne peut pas dire que Betty soit une chercheuse d'or.

– Pas d'autre femme dans sa vie?

– Non.

Mais la réponse, venue à retardement, manquait de conviction.

– Ce coffret, y tient-il?

– Nick? (Son front lisse se plissa comme si ma question l'avait prise au dépourvu.) Eh bien, il l'intéressait quand il était petit. J'avais autorisé Betty et mon fils à jouer avec. Nous... ils prétendaient que c'était la boîte de Pandore. C'était censé être un coffret magique, comprenez-vous?

Elle eut un rire léger. Le passé la submergeait. Puis son regard changea à nouveau d'expression. Elle revint au présent. Un présent brutal et effrayant. Elle reprit d'une voix soudain ténue:

– J'ai peut-être eu tort d'y accorder autant d'importance, mais je n'arrive pas à croire que Nick ait volé le coffret. Avec nous, il a toujours été honnête.

– Lui avez-vous demandé s'il l'avait pris?

– Non. Nous ne l'avons pas revu depuis notre retour. Il a un appartement à la cité universitaire et il prépare ses derniers examens.

– J'aimerais lui parler. Ne serait-ce que pour qu'il me dise oui ou non. Puisqu'il est suspect...

– Ne lui répétez surtout pas que son père le soupçonne. Ils s'entendent à merveille depuis deux ans et je ne voudrais en aucun cas les brouiller.

Je lui promis de faire preuve de tact et je n'eus pas besoin d'insister : elle me donna le numéro de téléphone de Nick et son adresse qu'elle nota sur un bout de papier d'une écriture infantile et informe. Elle jeta un coup d'œil à sa montre.

– Je ne pensais pas que notre entrevue durerait si longtemps. Mon mari va rentrer pour déjeuner.

Elle était toute rouge et ses yeux brillaient. Mission remplie, eût-on dit. Le domestique tout de noir vêtu attendait dans le vestibule, inexpressif et respectueux. Il ouvrit la porte et Mme Chalmers me mit pratiquement dehors.

Un homme entre deux âges à l'élégant complet de tweed sortait d'une Rolls Royce noire arrêtée devant la maison; il traversa la cour avec une sorte de précision militaire comme si chacun de ses pas, chaque mouvement de ses bras était directement télécommandé par des ordres venus d'en haut. Il avait un visage étroit et hâlé, et une espèce d'innocence illuminait ses yeux bleus. Une moustache soigneusement taillée barrait le bas de sa figure au menton classiquement carré.

Son regard délavé m'effleura à peine.

– Que se passe-t-il, Irène?

– Rien. Je veux dire... (Mme Chalmers prit une

19

profonde inspiration.) C'est le monsieur des assurances. Il est venu pour le vol.

– Tu l'avais convoqué?

– Oui.

Elle m'adressa un coup d'œil embarrassé. Elle mentait effrontément et me suppliait d'être son complice.

– Mais c'est ridicule! s'exclama son époux. Le coffret n'était pas assuré... à ma connaissance!

C'était une interrogation courtoise.

– Non, fis-je d'une voix sans timbre.

J'étais furieux. C'était un coup fatal porté à nos rapports mutuels et il ne m'était plus possible d'en nouer d'autres avec son mari.

– Dans ce cas, nous ne vous retiendrons pas davantage, dit ce dernier. Je vous prie d'excuser la bévue de ma femme. Je regrette qu'elle vous ait fait perdre votre temps.

Il avança vers moi, le sourire patient sous la moustache. Je fis un pas de côté. Il prit garde de ne pas me frôler au passage. J'étais un roturier et, on ne sait jamais, ça peut être contagieux.

3

Avant d'arriver à l'université, je fis halte à une station-service et appelai le studio de Nick d'une cabine.

– Vous êtes chez M. Nicholas Chalmers, fit une voix féminine. J'écoute.

– Pourrais-je parler à M. Chalmers?

– Il n'est pas là, répondit mon interlocutrice en faisant sonner ses syllabes d'une façon toute professionnelle. Ici le service des abonnés absents.

– Comment pourrais-je le joindre? C'est important.

– Je ne sais pas où il est. (Cette fois, il y avait dans la voix une touche d'anxiété qui n'avait rien de professionnel.) Est-ce parce qu'il ne s'est pas présenté à ses examens?

– Peut-être, fis-je sans me compromettre. Etes-vous une amie de Nick?

– Oui. Je ne suis pas les abonnés absents. Je suis sa fiancée.

– Mlle Truttwell?

– Est-ce que nous nous connaissons?

– Pas encore. Etes-vous chez Nick?

– Oui. Vous êtes son conseil?

– En un sens. Je m'appelle Lew Archer. Voulez-vous m'attendre chez Nick, mademoiselle Truttwell? Et, s'il arrive, j'aimerais que vous lui demandiez de m'attendre également.

Elle me répondit :

– D'accord, et ajouta : Je ferai n'importe quoi pour aider Nick.

Ce qui me laissait supposer que le Nick en question avait besoin de toute l'aide possible.

L'université se dressait sur un plateau à quelques kilomètres de la ville, derrière l'aéroport. De loin, l'ovale inachevé de ses bâtiments tout neufs donnait une impression d'étrangeté et de mystère. Cela faisait penser à Stonehenge. Nous étions dans la troisième semaine de janvier et les examens devaient battre leur plein. Les étudiants que je croisai sur le campus semblaient préoccupés.

Il y avait pas mal d'années que je n'étais retourné à l'université. La population estudiantine s'était largement accrue entre-temps et la cité résidentielle était à présent une véritable cité de rapport. Après Los Angeles, cela faisait un drôle d'effet de rouler dans une ville dont tous les habitants étaient jeunes.

Nick demeurait dans un bâtiment de cinq étages baptisé Cambridge Arms. Je pris l'ascenseur automatique. Il habitait tout en haut. Appartement n° 51.

La fille m'ouvrit avant même que j'eusse frappé. Elle cilla en voyant que ce n'était que moi. Ses cheveux blonds flottaient sur ses épaules. Elle portait un pantalon noir et devait avoir une vingtaine d'années.

– Nick n'est pas là?

– Non. Vous êtes M. Archer?

– Oui.

Elle me lança un coup d'œil bref et pénétrant. En définitive, elle était plus âgée que je ne l'avais cru.

– Etes-vous vraiment conseiller juridique, monsieur Archer?

– Je vous ai dit : en un sens. J'ai eu l'occasion de donner beaucoup de conseils à beaucoup de gens. En amateur.

– Et, professionnellement, qu'est-ce que vous faites?

Il y avait de l'hostilité dans sa voix, mais son regard était franc et intelligent. Un regard qui faisait front. Je ne voulais pas que nous nous heurtions. Il y avait longtemps que je ne m'étais trouvé en face d'une aussi ravissante créature.

– Je crains que, si je réponds à cette question, vous ne refusiez de me parler, mademoiselle Truttwell.

– Vous êtes un policier, n'est-ce pas?

– J'ai été dans la police. A présent, je suis à mon compte.

– Eh bien, vous avez parfaitement raison. Je ne tiens pas à vous parler.

Elle manifestait des signes d'inquiétude : ses yeux

22

étaient écarquillés, ses narines dilatées. Son visage donnait une impression de chatoiement ou de luminosité.

– Est-ce que ce sont les parents de Nick qui vous envoient?

– Comment auraient-ils pu me charger d'une telle commission? Vous n'êtes pas censée vous trouver là. A propos, puisque nous bavardons, vous ne croyez pas que nous serions mieux à l'intérieur?

Elle hésita avant de s'effacer pour me laisser entrer. La salle de séjour était meublée avec beaucoup de goût. Rien que des choses chères mais tristes. Le genre de mobilier que les Chalmers avaient bien pu acheter pour leur fils sans lui demander son avis. Et on avait le sentiment que Nick refusait son environnement. Les murs étaient nus comme la main et les seuls objets personnels étaient des livres rangés dans une bibliothèque modulaire. Des manuels de sciences politiques, de droit, de psychologie et de psychiatrie pour la plupart.

– Nick vit dans un cadre bien impersonnel, dis-je à la jeune fille.

– Oui. C'est un garçon... un homme très secret.

– Un garçon ou un homme?

– Il n'a pas encore fait son choix.

– Quel âge a-t-il?

– Il vient de fêter ses vingt-trois ans. Le mois dernier. Le 14 décembre. Il a six mois de retard dans ses études parce qu'il a perdu un semestre, il y a quelques années. C'est-à-dire qu'il aura son diplôme si on lui permet de se représenter. Il a séché trois épreuves sur quatre.

– Pourquoi?

– Ce n'est pas un problème scolaire, Nick est un étudiant tout ce qu'il y a de brillant, répliqua-t-elle comme si j'avais prétendu le contraire. C'est un crack en sciences po, sa matière principale, et il envisage de faire son droit l'année prochaine.

Sa voix était un peu irréelle. C'était celle d'une petite fille qui raconte un rêve ou qui s'efforce de se remémorer un lointain espoir.

– Quel est son problème, mademoiselle Truttwell?

– On appelle ça un problème personnel, je crois. (Elle fit un pas en avant et s'immobilisa les bras ballants, ses paumes tendues vers moi.) Il s'est brusquement désintéressé de tout.

– De vous?

– S'il n'y avait eu que cela, j'aurais pu le supporter. Mais il a tout largué. En l'espace de quelques jours, sa vie a changé du tout au tout.

– Il s'est mis à la drogue?

– Non, je ne pense pas. Il sait à quel point c'est dangereux.

– C'est parfois un stimulant.

– Oui, je sais ce que vous voulez dire.

– Vous en a-t-il parlé?

L'espace d'une seconde, elle parut affolée.

– Parlé de quoi?

– De ce changement dans sa vie?

– Pas vraiment. En fait, il y a une autre femme dans sa vie. Une vieille.

Elle était pâle de jalousie.

– Il a perdu la raison! m'exclamai-je avec galanterie.

Mais elle prit le compliment à la lettre:

– Absolument! Il fait des choses qu'il ne ferait jamais s'il était totalement sain d'esprit.

– Essayez d'être un peu plus précise.

Pour la première fois depuis le début de notre entretien, son regard s'attarda sur moi.

– Il n'en est pas question. Je ne vous connais même pas.

24

– Votre père me connaît.

– C'est vrai?

– Téléphonez-lui si vous ne me croyez pas.

Son regard se porta vers le téléphone placé sur une petite table à côté du canapé chesterfield puis, de nouveau, vers moi.

– Autrement dit, vous travaillez pour le compte des Chalmers. Ce sont des clients de papa.

Je ne répondis pas.

– Pourquoi les parents de Nick vous ont-ils engagé?

– *No comment.* Nous perdons du temps, mademoiselle Truttwell. Nous voulons, vous et moi, voir Nick redevenir lui-même. J'ai besoin de votre aide et vous avez besoin de la mienne.

– En quoi puis-je vous être utile?

Je compris que j'avais fait mouche.

– Vous avez envie de parler à quelqu'un, cela saute aux yeux. Dites-moi ce que Nick a dans le crâne.

J'étais toujours debout comme un indésirable. Je m'assis sur le chesterfield. La jeune fille s'approcha avec circonspection et se jucha sur un bras du canapé à distance respectueuse.

– Vous ne le répéterez pas à ses parents?

– Non. Qu'avez-vous contre eux?

– Absolument rien. Ils sont adorables. Ce sont des amis et des voisins que je connais depuis toujours. Mais M. Chalmers est dur avec Nick. Ils sont très différents l'un de l'autre, vous comprenez? Nick est pacifiste à outrance, par exemple, et M. Chalmers trouve que c'est antipatriotique. Il a eu une très belle conduite pendant la dernière guerre et il est très intransigeant sur ce plan.

– Qu'est-ce qu'il a fait?

– Il était pilote dans l'aéronavale. A cette époque, il n'avait pas encore l'âge de Nick et il considère son fils comme un affreux rebelle. Nick n'est pas vraiment rebelle, reprit-elle après une pause. Je reconnais que, pendant une période, il a été complètement déboussolé. Cela remonte à quelques années. Et puis il s'est remis à ses études. Tout marchait merveilleusement. Mais, la semaine dernière, tout a craqué.

J'attendis la suite. Avec une prudence d'oiseau, elle se laissa glisser sur le coussin à côté de moi. Ses traits étaient crispés et elle fermait les yeux de toutes ses forces pour retenir ses larmes.

– Je crois que c'est cette femme qui est à l'origine de tout, murmura-t-elle au bout d'une minute. Je sais ce que j'éprouve mais ce n'est pas ma faute si je suis jalouse! Il m'a laissée tomber comme une vieille chaussette pour se mettre avec une bonne femme qui pourrait être sa mère. Elle est même mariée, en plus.

– Comment le savez-vous?

– Il me l'a présentée sous le nom de Mme Trask. Je suis sûre et certaine qu'elle n'est pas d'ici. Il n'y a pas de Trask dans l'annuaire.

– Il vous a présentée à elle?

– Bien obligé! Je les ai vus ensemble au Lido. Je suis allée à leur table et je suis restée là jusqu'à ce que Nick me la présente et me présente le type. Un certain Sidney Harrow de San Diego. C'est un encaisseur.

– Il vous l'a dit?

– Pas exactement. Je l'ai découvert.

– Vous avez des talents pour la découverte!

– C'est vrai. En principe, je n'aime pas fourrer mon nez dans les affaires des autres. (Elle ébaucha un sourire.) Mais il y a des moments où il le faut. Aussi, j'ai profité d'un instant où M. Harrow ne regardait pas pour prendre son ticket de parking qui était sur la table à côté de son assiette. Je suis

26

allée au parking du Lido et j'ai demandé au surveillant de m'indiquer où était sa voiture. C'était une vieille décapotable cabossée. La fenêtre arrière était arrachée. Le reste n'a pas été difficile. J'ai relevé son nom et son adresse sur la carte grise qui était dans la boîte à gants et j'ai téléphoné à San Diego. Je suis tombée sur une société de recouvrements. On m'a dit qu'il était en vacances. Drôles de vacances !

– Comment savez-vous qu'il s'agissait d'autre chose que de vacances ?

– Je n'ai pas fini. (Emportée par son récit, elle manifestait pour la première fois de l'irritation.) C'était le jeudi à midi que je les ai rencontrés au restaurant. J'ai revu son vieux tacot le lendemain soir devant la maison des Chalmers. Nous habitons presque en face et je peux voir la demeure par la fenêtre de ma salle de travail. Je suis descendue pour m'assurer que c'était bien l'auto de M. Harrow. Il était à peu près 9 heures du soir. Et c'était effectivement la sienne. Il a dû entendre claquer la portière : il est sorti en courant de chez les Chalmers et m'a demandé ce que je faisais là. Je lui ai retourné la question. Alors il m'a giflée et s'est mis à me tordre le bras. J'ai dû crier, car Nick est apparu. Il a frappé M. Harrow qui est tombé. Du coup, Harrow a pris un revolver dans l'auto et j'ai cru un instant qu'il allait tirer sur Nick. Ils avaient une expression étrange, tous les deux, comme s'ils allaient mourir, comme s'ils voulaient vraiment se tuer mutuellement et se faire tuer.

Ce regard d'adieu, je le connaissais. Je l'avais vu pendant la guerre. Et après la guerre, aussi. Beaucoup trop souvent.

– Mais la femme a surgi et elle les a arrêtés. Elle a ordonné à M. Harrow de monter dans sa voiture, elle s'est installée à côté de lui et ils sont partis.

Nick m'a dit qu'il était désolé mais qu'il ne pouvait rien m'expliquer pour le moment. Il est rentré et a refermé la porte à clef.

— Comment savez-vous qu'il l'a fermée à clef?

— J'ai essayé vainement de l'ouvrir. Il était seul, ses parents étaient à Palm Springs et il était terriblement bouleversé. Ne me demandez pas pourquoi. Je n'y comprends strictement rien. Tout ce que je sais, c'est que cette femme lui court après.

— Qu'en savez-vous?

— C'est le genre. Imaginez une fausse blonde avec une grande bouche rouge et molle et des yeux de vipère. Je n'arrive pas à comprendre pourquoi il la suit comme un toutou.

— Qu'est-ce qui vous fait dire cela?

— La façon dont elle lui parle. On aurait dit qu'il était sa chose.

Elle avait détourné le visage.

— Avez-vous parlé de cette femme à votre père?

Elle secoua la tête.

— Il sait que ça ne tourne pas rond avec Nick, mais je ne peux pas lui mettre les points sur les *i*. Ce serait faire du tort à Nick.

— Et vous voulez l'épouser?

— Depuis longtemps!

Cette fois, elle me regarda droit dans les yeux. J'eus la sensation physique d'une froide détermination, semblable à la pression de l'eau contre un barrage.

— J'ai l'intention de l'épouser, que cela plaise ou non à mon père. Naturellement, je préférerais quand même que ce soit avec son approbation.

— Il est contre?

Son visage parut se contracter.

— Il serait opposé à n'importe quel homme que je désirerais épouser. Ma mère est morte en 1945. Elle n'avait pas encore l'âge que j'ai maintenant, ajouta-

28

t-elle d'une voix imperceptiblement étonnée. Mon père ne s'est pas remarié... dans mon intérêt, croit-il. J'aurais préféré qu'il se remarie... dans mon intérêt.

Elle s'exprimait avec la véhémence maîtrisée d'une jeune femme qui a souffert.

– Quel âge avez-vous, Betty?

– Vingt-cinq ans.

– Quand avez-vous vu Nick pour la dernière fois?

– Vendredi soir. Devant chez lui.

– Et, depuis, vous l'attendez?

– La plupart du temps. Papa serait malade d'inquiétude si je ne rentrais pas à la maison le soir. A propos, Nick n'a pas dormi dans son lit depuis que je monte la garde ici.

– C'est-à-dire?

– Depuis samedi après-midi. S'il veut coucher avec elle, grand bien lui fasse!

Elle grimaça comme quelqu'un qui a le mal de mer.

Au même instant, le téléphone sonna. Elle se leva d'un bond, décrocha. Quelques secondes s'écoulèrent, puis elle se mit à parler d'une voix sans aménité :

– Ici le service des abonnés absents. Vous êtes chez M. Chalmers. Non, j'ignore où il se trouve... M. Chalmers ne me confie pas ce genre de renseignements.

Elle écouta encore. De ma place, j'entendais une voix de femme où perçait l'agitation, mais ce qu'elle disait m'échappait. Betty répéta ses paroles :

– Que M. Chalmers ne vienne pas à l'auberge de Montevista. J'ai compris. Votre mari vous a suivie là-bas. Dois-je le lui répéter?... C'est entendu.

Elle raccrocha très doucement comme si le combiné était bourré d'explosifs. Le sang monta à sa gorge et son visage devint cramoisi tant son trouble était grand.

– C'était Mme Trask.

– Je me posais justement la question. Je suppose qu'elle est à l'auberge de Montevista?

– Oui. Son mari aussi.

– J'irai peut-être leur rendre visite.

Elle se mit brusquement debout.

– Je rentre. Je ne veux pas l'attendre plus longtemps. C'est humiliant.

Dans l'intimité de l'ascenseur automatique, elle reprit la parole :

– J'ai lâché tous mes secrets. Comment faites-vous pour obliger les gens à se confier?

– Je ne les oblige pas. Ils aiment parler de ce qui les fait souffrir. Ça leur fait du bien.

– Oui, je crois.

– Puis-je vous poser encore une question pénible?

– Il semble que ce soit le jour des questions pénibles.

– Comment votre mère est-elle morte?

– Une voiture l'a renversée. Devant chez nous.

– Qui était le conducteur?

– Personne ne le sait et surtout pas moi. Je n'étais encore qu'un petit bébé.

– Et le chauffard a pris la fuite?

Elle fit oui de la tête. La porte s'ouvrit, mettant fin à notre bref moment d'intimité. Nous nous dirigeâmes de compagnie vers le parking. Je suivis des yeux son coupé rouge qui vira sec au coin de la rue dans une odeur de caoutchouc brûlé.

4

Montevista est située au bord de la mer, juste au sud de Pacific Point. C'est une bourgade résidentielle et rustique destinée aux amateurs de forêts qui peuvent s'offrir le luxe de vivre où bon leur semble. Je quittai la route pour faire l'ascension de la colline couverte de chênes que dominait l'auberge. Du parking, les toits qui s'étageaient en contrebas paraissaient flotter sur un océan de verdure. Le jeune homme de la réception m'indiqua le bungalow de Mme Trask. C'était le n° 7 et il se trouvait à l'autre bout de la vaste piscine démodée devant laquelle un dauphin de bronze crachant un jet d'eau montait la garde. Une allée dallée, sinuant à travers les chênes verts, menait à un chalet de stuc blanc. Un colapte mordoré prit son essor et traversa un fragment de ciel. Avec ses ailes battantes, il évoquait un éventail frangé de carmin.

L'endroit aurait été plaisant s'il n'y avait pas eu les voix venant du bungalow. Celle de la femme était railleuse, celle de l'homme triste et monotone.

– Cela n'a rien de drôle, Jean. C'est ta vie que tu risques de briser. Et la mienne aussi. Au bout du compte, il viendra un moment où tu ne pourras plus recoller les morceaux. Ce qui est arrivé à ton père devrait te servir de leçon.

– Laisse mon père en dehors de ça.

– Comment veux-tu? J'ai téléphoné à ta mère à Pasadena, hier soir, et elle m'a dit que tu t'obstines encore à le chercher. C'est de la folie, Jean. Il est sûrement mort depuis des années.

– Non! Papa est vivant. Et, cette fois, je le retrouverai.

– Pour qu'il te plaque encore un coup?

– Il ne m'a jamais plaquée.

– Ce sont les propres propos de ta mère. Il vous a laissées tomber toutes les deux pour ficher le camp avec une minette.

– Ce n'est pas vrai! s'insurgea la femme en haussant le ton. Je t'interdis de raconter des choses pareilles sur mon père.

– Tu ne m'en empêcheras pas si elles sont vraies.

– Je ne t'écoute pas! Va-t'en! Laisse-moi tranquille!

– Non, je ne partirai pas. Tu vas rentrer avec moi à San Diego et te conduire correctement. Tu me dois bien cela après vingt ans.

La femme ne répondit pas tout de suite. Tout autour, il y avait des bruissements légers semblables aux vaguelettes léchant un rivage : un pinson cherchant pitance dans les broussailles, un roitelet lançant son bruit de crécelle. Quand elle reprit la parole, la femme s'exprimait sur un ton plus calme et plus grave :

– Je suis navrée, George, mais mieux vaut que tu renonces. Cela fait si longtemps que je t'entends répéter cela. Autant en emporte le vent!

– Tu es toujours revenue.

Il y avait une note d'espoir dans sa voix.

– Cette fois, je ne reviendrai pas.

– Il le faudra bien, Jean.

Le ton, cette fois, était menaçant. Je m'approchai et contournai le bungalow.

– N'essaie pas de me toucher!

– J'en ai légalement le droit. Tu es ma femme.

Il disait ce qu'il ne fallait pas dire, faisait ce qu'il ne fallait pas faire. Je le savais parce que, jadis, j'avais parlé et agi comme lui. La femme poussa un léger cri, comme si elle se mettait en voix pour en exhaler un plus sonore.

Je jetai un coup d'œil derrière le coin du bungalow, là où l'allée dallée s'achevait en patio. L'homme avait empoigné la femme par les bras et voulait l'embrasser. Elle s'était détournée et regardait dans ma direction. Ses yeux étaient de glace. Comme si les baisers de son mari la frigorifiaient.

– Laisse-moi, George. Nous avons de la compagnie.

Il la lâcha et se retourna, larmoyant : un homme d'âge mûr, corpulent, aux gestes gauches, comme si c'était lui l'intrus.

– C'est ma femme.

Il avait dit cela plus pour s'excuser que pour faire des présentations.

– Pourquoi criait-elle ?

Ce fut la blonde qui répondit :

– Tout va bien. Il ne m'a pas fait mal. Mais, maintenant, il vaudrait mieux que tu t'en ailles, George.

– J'ai encore à te parler.

Il tendit dans sa direction une main épaisse, rougeâtre d'un geste à la fois menaçant et émouvant qui me fit penser à une sorte d'innocence à la Frankenstein.

– Ça ne servirait qu'à t'agiter encore davantage.

– Mais j'ai le droit de présenter ma défense ! Tu ne peux pas rompre les ponts sans m'avoir entendu. Je ne suis pas un assassin comme ton père. Et puis d'abord, les assassins ont le droit de s'expliquer devant leurs juges. Toi, tu ne veux même pas m'écouter.

Il s'énervait, en proie à une surexcitation qui, pour un rien, l'aurait conduit à la violence.

– Il vaudrait mieux que vous partiez, monsieur Trask.

Son regard trouble m'effleura. Je brandis sous son nez le vieil insigne de shérif adjoint que j'avais dans la poche. Il l'examina avec attention comme si c'était une curiosité.

– Très bien, je m'en vais.

Il fit demi-tour et s'éloigna. Arrivé à l'angle du bâtiment, il se retourna pour lancer :

– Mais je n'irai pas loin!

La femme me regarda et poussa un soupir. Ses cheveux blonds étaient en désordre et elle les lissa d'une main nerveuse. Elle était frisée comme un mouton, ce qui ne cadrait pas très bien avec son âge – les abords de la quarantaine. Cependant, contrairement à la description que m'en avait donnée Betty, elle n'était pas si mal que ça. On devinait un corps ferme sous le chemisier et, quoique lourds, ses traits étaient beaux.

Il y avait aussi quelque chose en elle qui me tracassait, une sorte d'incertitude vague dans le regard. Comme quelqu'un qui ne sait plus très bien où il en est depuis longtemps.

– Vous êtes arrivé à pic, me dit-elle. Avec George, on ne sait jamais ce qu'il est capable de faire.

– Il n'est pas le seul dans ce cas.

– C'est vous qui assurez la sécurité ici?

– Je suis le remplaçant.

Elle me toisa des pieds à la tête, avec un regard de divorcée de fraîche date.

– Je vous dois bien un verre. Vous aimez le scotch?

– Avec de la glace.

– Il y en a. A propos, je m'appelle Jean Trask.

Je me présentai à mon tour et elle me fit entrer dans la salle de séjour du bungalow où elle m'abandonna pour disparaître dans la cuisine. Les murs étaient ornés de gravures de chasse anglaises – des messieurs en jaquettes rouges chevauchant par monts et par vaux avec leurs chiens en quête du renard à abattre.

Tout en faisant ostensiblement mine d'étudier les gravures, je m'approchai de la porte grande ouverte donnant sur la chambre à coucher. Une mallette bleue était posée sur l'un des lits jumeaux. Elle n'était pas fermée : j'aperçus la cassette dorée. Le couvercle était orné d'une peinture représentant un homme et une femme vêtus à l'antique – et fort peu – en train de folâtrer.

J'eus la tentation d'entrer dans la chambre, de m'emparer de l'objet, mais cela n'aurait pas plu à John Truttwell. D'ailleurs, même sans l'avocat, je n'y aurais probablement pas touché. Je commençais à penser que le vol du coffret n'était qu'un élément accessoire. Le fait matériel négligeable. La charge de magie dont il était détenteur, magie noire, magie blanche ou magie d'or, lui était impartie par ceux qui le maniaient.

Néanmoins je fis deux pas, soulevai le lourd couvercle. La boîte était vide. Je me hâtai de regagner le living en entendant revenir Mme Trask. Elle alla refermer la porte de la chambre.

– Nous n'utiliserons pas cette pièce.

– Quel dommage!

Elle me regarda d'un air surpris comme si ma remarque crue lui passait au-dessus de la tête, me tendit un verre ballon.

– Tenez!

Elle regagna la cuisine, revint avec un autre verre empli d'un liquide ambré. Après la seconde gorgée, ses yeux s'humectèrent, se mirent à scintiller et les couleurs lui revinrent. Elle aimait boire et, si j'étais là, c'était avant tout parce qu'elle répugnait à boire seule.

Elle avala son verre presque d'un trait, s'en servit un second. Moi, je faisais durer le mien. Elle s'assit

35

dans un fauteuil en face de moi. Je savourais presque cet instant. La pièce était vaste et silencieuse et, par la porte ouverte, on entendait une caille margotter.

Hélas, force m'était de détruire cette paix.

– J'étais en train d'admirer votre coffret. Il est florentin?

– Je suppose, répondit-elle avec désinvolture.

– Vous ne le savez pas? Cela semble être une pièce de valeur.

– Vraiment? Seriez-vous expert?

– Non, je me place sur le plan de la sécurité. Si j'étais vous, je ne le laisserais pas traîner comme cela.

– Merci pour le conseil, fit-elle sans la moindre trace de gratitude.

Pendant une minute, elle resta silencieuse à siroter son verre.

– Je ne voulais pas être impolie. Mais j'ai pas mal de soucis. (Elle se pencha vers moi avec un intérêt soudain.) Il y a longtemps que vous vous occupez de protection?

– Plus de vingt ans, en comptant les années où je faisais partie de la police.

– Vous avez été policier?

– Effectivement.

– Vous pourriez peut-être m'aider. Je suis dans un fichu pétrin. Je n'ai pas envie de m'étendre longuement à ce sujet pour l'instant, mais j'ai engagé un certain Sidney Harrow. Il prétendait être détective privé, mais il semble que son expérience se limite pour l'essentiel aux voitures volées. C'est un fourbe. Et un homme dangereux.

Elle acheva son verre et frissonna.

– Comment savez-vous qu'il est dangereux?

– Il a failli tuer mon petit ami.

– Parce que vous avez aussi un petit ami?

– Je l'appelle comme ça, fit-elle avec un demi-sourire, mais, en réalité, nos rapports sont davantage ceux d'un frère et d'une sœur ou d'un père et d'une fille... je veux dire d'une mère et d'un fils.

Son sourire se transforma en une grimace minaudière.

– Comment se nomme-t-il?

– Cela n'a rien à voir avec ce dont je vous parle. Ce qui compte c'est que Sidney Harrow a manqué l'abattre l'autre soir.

– Où ça?

– Juste devant la maison de... de mon ami. Du coup j'ai compris que ce Sidney était un forcené et que je n'avais plus besoin de ses services. Il a la photo et tout le reste, mais c'est comme si de rien n'était. J'ai peur d'aller les lui réclamer.

– Et vous voulez que ce soit moi qui y aille?

– Peut-être. Je n'ai pas encore pris de décision.

Elle parlait avec cette retenue bornée des femmes qui ne « sentent » pas les hommes et se trompent immanquablement sur leur compte.

– Qu'est-ce que Sidney Harrow était censé faire avec la photo et le reste?

– Se documenter, répondit-elle, circonspecte. C'est pour cela que je l'avais engagé. Mais j'ai eu la stupidité de lui donner de l'argent et il se contente de s'enfermer dans sa chambre, au motel, et de boire. Cela fait deux jours qu'il ne m'a pas donné signe de vie.

– Quel motel?

– Le *Sunset*. C'est sur la plage.

– Comment vous êtes-vous abouchée avec lui?

– Je ne me suis pas abouchée. Une personne de ma connaissance l'a amené chez moi la semaine dernière. Il m'a fait l'effet d'un homme dynamique à l'esprit prompt. C'était exactement le personnage que je cherchais.

Comme pour revivre cet instant plein de promesses, elle leva son verre et en acheva les dernières gouttes du bout de la langue.

– Il me rappelait mon père quand il était jeune.

Pendant quelques secondes, elle parut savourer ce double souvenir, mais elle était d'humeur versatile et cet état d'âme ne dura pas longtemps. Je vis mourir dans son regard la réminiscence heureuse et éphémère.

Elle se leva, se dirigea vers la cuisine. Soudain, elle s'arrêta net comme si elle avait heurté une vitre invisible.

– Je bois trop, murmura-t-elle. Et je parle trop.

Elle alla déposer son verre dans la cuisine et revint. Plantée devant moi, elle me dévisagea avec méfiance comme si j'étais la cause de ses tracas.

– Je voudrais que vous partiez. Et que vous oubliiez ce que je vous ai raconté.

Je la remerciai pour le scotch et redescendis la colline. Arrivé à Ocean Boulevard, je tournai en direction du *Sunset Motor Hotel*.

5

C'était un vieux et solide bâtiment de brique rouge en bordure du front de mer de Pacific Point. En face, dans le port, des voiliers étaient au mouillage, semblables à des oiseaux aux ailes repliées. Quelques Capri et autres Seashell suivaient le chenal, poussés par le vent de janvier.

Je me garai devant le motel. La femme grisonnante trônant derrière le bureau m'adressa un regard débonnaire qui enregistrait mon âge, mon poids, mon revenu probable, mon crédit et ma situation de famille. Elle me dit s'appeler Mme Delong. Quand je prononçai le nom de Sidney Harrow, je vis dégringoler ma balance créditrice dans le grand livre de ses yeux.

– M. Harrow nous a quittés.

– Quand ça?

– Cette nuit.

– Sans régler sa note?

Elle se rembrunit.

– Vous le connaissez?

– Seulement de réputation.

– Savez-vous où je pourrais le joindre? Il nous a donné pour adresse celle d'un bureau de San Diego, mais il paraît qu'il ne travaille là-bas qu'à temps partiel et ses employeurs estiment que leur responsabilité n'est pas engagée. Ils refusent de nous indiquer son domicile... à supposer qu'il en ait un. (Elle reprit son souffle.) Si je savais où il habite, je pourrais lui mettre la police aux trousses.

– Je serais peut-être en mesure de vous aider.

– Comment cela? demanda-t-elle non sans une certaine méfiance.

– Je suis détective privé et il se trouve que, moi aussi, je recherche Harrow. Sa chambre a-t-elle été faite?

– Pas encore. Il a laissé la pancarte *Ne pas déranger* sur sa porte comme il le faisait la plupart du temps. Je me suis seulement aperçue tout à l'heure que sa voiture n'était plus là et je suis entrée en me servant de mon passe. Vous voulez voir sa chambre?

– Ce ne serait peut-être pas une mauvaise idée. A propos, quel est le numéro de sa voiture, madame Delong?

Elle examina ses fiches.

– KIT 994. C'est une vieille décapotable beige

dont la lucarne arrière est abîmée. Pourquoi recherche-t-on Harrow?

– Je ne le sais pas encore.

– Vous êtes sûr que vous êtes détective?

Je lui montrai ma carte professionnelle, ce qui parut la rassurer. Elle nota soigneusement mon nom et mon adresse, puis me tendit une clé.

– Chambre 22. C'est à l'étage, au fond.

Je gagnai la galerie par l'escalier extérieur. Les fenêtres de la chambre 22 étaient masquées par des rideaux hermétiquement tirés. J'entrai. Il faisait sombre dans la pièce où régnait une âcre odeur de tabac refroidi. J'ouvris les rideaux et la lumière entra à flots.

Le lit n'avait apparemment pas été défait. Cependant, le couvre-pied était chiffonné et des oreillers empilés à la tête du lit. Une bouteille de rye à demi vide était posée sur la table de nuit, recouvrant en partie un magazine plein de filles nues. Je fus un peu étonné qu'Harrow ait oublié son flacon favori à moitié plein.

Il avait également laissé dans la salle de bains une brosse à dents, un tube de pâte dentifrice, un rasoir de trois dollars, un pot de brillantine et un vaporisateur contenant un parfum épicé baptisé Swingeroo. Tout semblait indiquer qu'Harrow avait eu l'intention de revenir ou qu'il était parti précipitamment.

La seconde hypothèse me parut plus vraisemblable lorsque je découvris une chaussure dépareillée dans le coin le plus obscur de la penderie. Une chaussure toute neuve de style italien. Elle était noire et c'était le pied gauche. La paire devait facilement valoir dans les vingt-cinq dollars, mais j'eus beau fouiller partout : le soulier droit resta introuvable.

Au cours de ma perquisition, je mis la main sur

une enveloppe brune dissimulée sous des couvertures tout en haut de la penderie. Elle recelait la photo d'une promotion, de petit format. Le jeune homme souriant qui y figurait ressemblait à Irène Chalmers et j'en conclus qu'il devait s'agir de son fils, Nick. L'adresse griffonnée au dos de l'enveloppe confirma cette supposition : c'était celle de Chalmers – 2124 Pacific Street. Je remis la photo dans l'enveloppe, glissai le tout dans ma poche avant de redescendre.

Après avoir fait mon rapport sur ce que j'avais trouvé à Mme Delong, je traversai la rue en direction du port. Les bateaux englués dans le dédale des docks flottants se balançaient, clapotant dans l'eau. Comme j'aurais voulu sauter dans l'un d'entre eux et prendre le large! Ma brève intrusion dans l'existence de Sidney Harrow m'avait mis les nerfs à fleur de peau. Peut-être parce qu'elle me rappelait trop vivement ma propre existence. La dépression, telle une fumée aigre en moi, voilait ma vision.

Le vent puissant de l'océan la chassa comme presque toujours. J'allai jusqu'au bout du port, m'enfonçai à travers le désert d'asphalte des parkings étirés le long de la plage. Là, les vagues croulaient périodiquement, comme des murs qui s'effondrent. J'eus le sentiment de m'évader de ma vie quotidienne.

Ce qui est évidemment une chose impossible. Une vieille Ford décapotable beige dont la fenêtre de custode était démantibulée m'attendait au terme de ma courte promenade. Elle était rangée à l'écart devant un monticule de sable à la lisière du parking. Je jetai un coup d'œil par la lunette. Le mort était recroquevillé sur la banquette arrière, le visage masqué de sang noirci.

Je humai une odeur de whisky et le parfum épicé du Swingeroo. Les portières n'étaient pas fermées et les clés pendaient au tableau. J'eus la tentation de m'en servir pour ouvrir le coffre, mais la prudence me dicta de faire ce qu'il convenait de faire. J'étais hors des limites du comté de Los Angeles et la police locale a un sens très aigu de ses compétences territoriales. Le téléphone le plus proche était celui d'une boutique d'engins de pêche installée au pied de la jetée. Après avoir prévenu la police, je revins à la voiture pour attendre la suite des événements.

Le vent m'envoyait du sable en pleine figure et la mer tumultueuse avait une inquiétante lueur glauque. Le tourbillon des mouettes et des hirondelles de mer constituait un mobile compliqué suspendu en plein ciel.

Une voiture de la police traversa le parking et s'arrêta près de moi. Deux agents en tenue en descendirent. Ils me regardèrent, regardèrent le cadavre dans la voiture, me regardèrent à nouveau. Ils étaient jeunes et rien ne permettait de les distinguer l'un de l'autre, sinon que l'un était brun et l'autre blond. Tous deux avaient des épaules massives, la mâchoire lourde, des yeux impassibles, un revolver bien en évidence à la ceinture et leurs mains étaient prêtes à le faire jaillir de l'étui.

– Qui est-ce ? me demanda celui qui avait les yeux bleus.

– Je ne sais pas.

– Et vous, qui êtes-vous ?

Je me nommai et leur présentai mes papiers.

– Vous êtes détective privé ?

– En effet.

– Mais vous ne savez pas qui est le type dans la voiture ?

J'hésitai. Si je leur disais que c'était Sidney Harrow ainsi que je le supposais, je serais obligé de leur expliquer comment je l'avais appris et il me faudrait

42

au bout du compte probablement leur raconter tout ce que je savais.

– Non, répondis-je.

– Comment se fait-il que vous l'ayez trouvé?

– Je passais par là.

– Où alliez-vous?

– A la plage. Je voulais me balader.

– Drôle d'endroit pour se promener un jour comme aujourd'hui, commenta le blond.

J'étais bien de son avis. Le paysage avait changé. Le mort l'avait dépouillé de sa vie et de sa couleur, et les deux hommes en uniforme lui conféraient une autre signification. C'était un endroit lugubre et officiel que giflait un vent glacial.

– Où habitez-vous? s'enquit le brun.

– Los Angeles. Mon adresse est sur ma licence. A propos, j'aimerais la récupérer.

– On vous la rendra quand on en aura fini avec vous. Vous avez une voiture ou avez-vous pris un moyen de transport public?

– Je suis venu en auto.

– Où est-elle, cette auto?

Du coup, l'évidence me sauta aux yeux. Je réagissais à retardement à cause du choc qu'avait été pour moi la découverte de Sidney Harrow, si c'était bien lui. Ma voiture était garée devant le *Sunset Motor Hotel*. Que je l'avoue ou non, la police la récupérerait là. Les enquêteurs interrogeraient Mme Delong et ils apprendraient ainsi que j'étais sur la piste d'Harrow.

Ce fut précisément ce qui arriva. J'indiquai l'endroit où était l'auto et ne tardai pas à me retrouver dans un bureau du quartier général de la police municipale. Je demandai à plusieurs reprises aux deux sergents qui m'interrogeaient l'autorisation de me faire assister d'un avocat, à savoir celui à la requête duquel je m'étais rendu à San Diego. Finalement, ils se levèrent et me laissèrent seul.

Le bureau était une espèce de cagibi sans air. Des noms étaient griffonnés sur le plâtre grisâtre et encrassé des murs. Je les déchiffrai pour passer le temps : Duke le Gommeux, de Dallas, avait fait un stage ici, coffré pour mendicité. Joe Hesteler m'y avait précédé. Et Oliphant la Bricole. Et Phil Larrabee dit le Rapide.

Les sergents revinrent. A leur grand regret, m'annoncèrent-ils, ils n'avaient pas pu joindre Truttwell. Mais pas question de me laisser lui téléphoner moi-même. Cette violation de mes droits m'encouragea en un certain sens : cela signifiait que je n'étais pas sérieusement considéré comme suspect.

Ils me la faisaient à la chansonnette dans l'espoir que je leur mâcherais la besogne : je les laissai tranquillement mâcher la mienne. Le mort était bien Sidney Harrow. L'identification n'avait pas été difficile à établir : ses empreintes digitales correspondaient à celles de son permis de conduire. Il avait été tué d'une balle dans la tête et la mort remontait au moins à douze heures. Donc il avait été abattu à minuit au plus tard. A cette heure-là, j'étais chez moi, à West Los Angeles.

C'est ce que j'expliquai aux deux sergents, mais ils s'en balançaient royalement. Ils voulaient savoir ce que je fabriquais dans le comté de San Diego et pourquoi je m'intéressais à Harrow. Ils m'amadouèrent, me supplièrent, me câlinèrent, m'adjurèrent, employèrent la menace et firent des plaisanteries, ce qui me donna la curieuse impression – dont je me gardai bien de leur faire part – que j'avais effectivement hérité la vie de Sidney Harrow.

6

Un homme tout en noir entra silencieusement.
Les deux sergents se mirent au garde-à-vous et il
leur fit signe de dégager. Il avait les cheveux gris
coupés en brosse, des yeux durs et froids de part et
d'autre d'un nez cassé et couturé. Ses lèvres
mâchonnées et rongées indiquaient la méfiance et
le doute. Il les remuait. Il s'assit de l'autre côté de la
table.

– Je suis le capitaine Lackland. Il paraît que vous
avez mené la vie dure à mes hommes?

– Je dirais plutôt que c'est le contraire.

Il me scruta.

– Je ne vois pas de marques.

– J'ai le droit de me faire assister par un avocat.

– Nous avons le droit d'exiger votre coopération.
Si vous essayez de jouer au plus fin, vous vous
retrouverez sur le cul – et sans votre licence.

– A propos, je voudrais que vous me rendiez mes
papiers.

Mais au lieu de me les restituer, il sortit de sa
poche une enveloppe qu'il ouvrit. Entre autres
choses, elle contenait une photo – ou, plus exactement, un fragment de photo – qu'il poussa vers
moi.

Elle représentait un homme d'une quarantaine
d'années aux cheveux blonds qui s'éclaircissaient,
au regard hardi, à la bouche ricanante. Un poète qui
avait raté sa vocation et avait dû se rabattre sur des
satisfactions plus matérielles. Le personnage avait
été découpé dans une photographie plus grande sur
laquelle il ne figurait pas seul. On distinguait

l'amorce d'une robe de part et d'autre de lui. Le cliché pâli datait d'au moins vingt ans.

– Vous connaissez? me demanda Lackland.

– Non.

Son visage labouré se tendit comme pour m'annoncer ce que risquait de devenir le mien.

– Vous en êtes sûr?

– Absolument.

Inutile de lui préciser que je soupçonnais que c'était la photo que Jean Trask avait donnée à Harrow. La photo de son père.

– Allons, monsieur Archer, il faut que vous nous aidiez. Pourquoi Sidney Harrow avait-il ça (il pointa son index sur l'instantané) dans sa poche?

– Je ne sais pas.

– Vous avez certainement une petite idée. Pourquoi vous intéressiez-vous à lui?

– Il faut que je parle à John Truttwell. Après, j'aurai peut-être des déclarations à vous faire.

Il se leva et sortit. Une dizaine de minutes plus tard, il était de retour en compagnie de Truttwell. L'avocat me dévisagea d'un air soucieux.

– Il paraît qu'il y a un bon moment que vous êtes ici, Archer. Vous auriez dû me faire signe plus tôt. (Il se tourna vers Lackland :) Je voudrais parler en tête à tête avec M. Archer. Il travaille pour moi et il s'agit d'une affaire confidentielle.

Lackland s'éloigna sans se presser et Truttwell s'assit de l'autre côté de la table.

– Au fait, pourquoi vous ont-ils retenu?

– Un certain Sidney Harrow, employé d'une société de recouvrement de créances, a été abattu cette nuit. Lackland sait que j'étais sur ses traces. Ce qu'il ne sait pas, c'est que Harrow était impliqué en même temps que diverses personnes dans le vol du coffret.

Ma réponse parut l'étonner.

– Vous avez déjà découvert tout cela?

– Ça n'a pas été compliqué. C'est le cambriolage le plus boiteux des annales. La femme qui est à l'heure actuelle en possession de ce coffret le laisse traîner à la portée de tous les yeux.

– Qui est-ce?

– Une dénommée Jean Trask. C'est son nom d'épouse. Mais quant à savoir qui elle est exactement, c'est une autre histoire. Apparemment, Nick a volé la cassette et la lui a donnée. C'est bien pour cela qu'il m'est impossible de parler librement à Lackland ni à personne d'autre.

– Et comment! Etes-vous sûr de ce que vous avancez?

– A moins que je n'aie été victime d'hallucinations. (Je me levai.) Ne pourrions-nous pas continuer cette conversation dehors?

– Mais certainement. Attendez-moi une minute.

Il sortit, referma la porte derrière lui. Quand il revint, le sourire aux lèvres, il me tendit ma licence.

– Vous êtes libre. Oliver Lackland est un homme on ne peut plus raisonnable.

Dans l'étroit couloir qui conduisait au parking, je dus passer entre Lackland et les deux sergents. Ils m'adressèrent de petits signes de tête. Trop réitérés pour que je me sente à l'aise.

Dans la Cadillac qui nous ramenait en ville, je racontai à Truttwell ce qui s'était passé. Il tourna dans Pacific Street.

– Où allons-nous?

– Chez moi. Vous avez fait une très forte impression à Betty. Elle veut vous demander votre avis.

– A quel sujet?

– Sans doute quelque chose à propos de Nick. Elle n'a que lui en tête. (Après un long silence, il ajouta :) Elle a l'air de penser que je suis prévenu

47

contre lui. C'est totalement faux, mais je ne voudrais pas qu'elle commette une erreur inutile. Je n'ai pas d'autre fille.

– Elle m'a dit qu'elle a vingt-cinq ans.

– Peut-être, mais elle est très jeune pour son âge. Très jeune et très vulnérable.

– En apparence, c'est possible. Néanmoins, elle m'a fait l'effet d'être une femme qui ne manque pas de ressources.

Il me regarda d'un air agréablement surpris.

– Je suis heureux de vous l'entendre dire. Je l'ai élevée seul et cela a été une bien lourde responsabilité. (Nouveau silence.) Betty n'avait que quelques mois quand ma femme est morte.

– Elle m'a appris que sa mère avait été renversée par une voiture.

– Oui, c'est exact.

Il parlait d'une voix presque inaudible.

– Le chauffard a-t-il été arrêté?

– Hélas non. La police routière a retrouvé la voiture près de San Diego, mais elle avait été volée. Chose bizarre, l'homme avait essayé de cambrioler les Chalmers. Ma femme l'a vu entrer dans la maison et lui a fait peur. C'est en s'enfuyant qu'il l'a tuée.

Le regard lugubre qu'il m'adressa fermait la porte à toute autre question. Aucun de nous deux n'ouvrit plus la bouche pendant le reste du trajet. Il habitait presque en face de la résidence espagnole des Chalmers. Sous prétexte qu'il avait un client à voir, il me déposa et poursuivit sa route.

L'architecture de Pacific Street était traditionnelle mais éclectique. Truttwell habitait une maison de style colonial blanche aux volets verts. Je toquai à la porte, verte elle aussi. Une petite bonne femme grisonnante portant la blouse qui est pratiquement l'uniforme des gouvernantes m'ouvrit. Les plis qui encadraient protocolairement sa bouche s'adoucirent quand j'eus décliné mon identité.

— Mademoiselle vous attend.

Elle me précéda et nous gravîmes un escalier contourné conduisant à une pièce qui donnait sur la façade.

— M. Archer est là, mademoiselle.

— Merci, madame Glover.

— Avez-vous besoin de quelque chose?

— Non merci.

Betty attendit le départ de Mme Glover pour se montrer. Je compris tout de suite pourquoi. Elle avait les yeux gonflés et mauvaise mine. Elle était crispée comme un chien battu qui attend le prochain coup de pied. Après m'avoir fait entrer, elle referma la porte. Je me trouvai dans un bureau lumineux et très féminin, tendu de chintz et orné de Chagall. Des livres s'alignaient sur les étagères. Elle me dévisagea, tournant le dos aux fenêtres de la rue.

— J'ai eu des nouvelles de Nicholas, dit-elle en désignant le téléphone orange posé sur la table. Vous ne le direz pas à père, n'est-ce pas?

— Il s'en doute déjà.

— Mais vous ne lui répéterez quand même pas?

— Vous n'avez pas confiance en votre père?

— Si, pour tout le reste. Mais il ne faut pas que vous lui rapportiez ce que je vais vous dire.

— Je ferai de mon mieux mais je ne peux pas vous promettre davantage. Nick a des ennuis?

— Oui. (Elle baissa la tête et ses cheveux blonds masquèrent son visage tel un rideau.) Il a des idées de suicide. Et s'il se tue, je ne veux plus vivre...

— Vous a-t-il dit pourquoi il songe à se suicider?

— Il paraît qu'il a fait quelque chose de terrible.

— Assassiner un homme, par exemple?

Elle releva la tête et me décocha un regard enflammé où se lisait le dégoût.

– Pourquoi dites-vous cela?

– Sidney Harrow a été abattu cette nuit sur le front de mer. Nick a-t-il fait allusion à lui?

– Bien sûr que non.

– Que vous a-t-il dit au juste?

Elle resta muette quelques instants, fouillant sa mémoire, puis murmura d'une voix lente comme si elle récitait un texte appris par cœur:

– Qu'il ne méritait pas de vivre. Qu'il m'avait laissée tomber, qu'il avait laissé tomber ses parents et qu'il lui était dorénavant impossible de nous regarder en face, eux comme moi. Et il m'a dit adieu... Un adieu définitif.

Un sanglot de douleur la secoua.

– Quand avez-vous reçu cet appel?

Elle regarda tour à tour le téléphone orange, puis sa montre.

– Il y a à peu près une heure. Mais j'ai l'impression que cela fait un siècle.

La démarche mal assurée, elle passa devant moi pour aller à l'autre bout de la pièce décrocher une photo encadrée fixée au mur. Je m'approchai et regardai. C'était un agrandissement du cliché que j'avais en poche, celui que j'avais trouvé au motel dans la chambre de Harrow. Je constatai maintenant que, en dépit de son sourire, le jeune homme avait un regard sombre.

– Je suppose que c'est Nick?

– Oui. C'est sa photo de promotion.

Elle la raccrocha d'un geste qui avait quelque chose de rituel, puis alla à la fenêtre et je la suivis.

– Je ne sais que faire, murmura-t-elle, le regard fixé sur la blanche et aveugle façade de la résidence Chalmers.

– Il faut le retrouver. Vous a-t-il dit d'où il téléphonait?

– Non.

– Il ne vous a pas donné d'autres indications?

– Je ne me souviens de rien d'autre.

– Vous a-t-il précisé quelle méthode de suicide il
envisageait?

A nouveau, elle dissimula son visage derrière
l'écran de ses cheveux et me répondit à mi-voix:

– Non, cette fois, il ne me l'a pas dit.

– Si je comprends bien, c'est une vieille habitude.
Il y a eu des précédents?

– Pas vraiment. Il ne faut pas parler comme cela.
Il était terriblement sérieux.

– Moi aussi, je suis sérieux. (Mais j'étais furieux
contre ce garçon. Je lui en voulais de ce qu'il avait
fait et ce qu'il continuait de faire à cette petite.)
Qu'a-t-il fait ou qu'a-t-il dit les autres fois?

– Il parlait souvent de suicide quand il était
déprimé. Comprenez-moi bien: ce n'était pas une
menace qu'il agitait. Il parlait des diverses métho-
des. Il ne me cachait jamais rien.

– Peut-être que, ce coup-là, il s'est mis à jouer les
cachottiers?

– On croirait entendre père. Vous avez tous les
deux des préjugés contre lui.

– Le suicide, c'est de la cruauté, Betty.

– Pas pour une amoureuse. Quelqu'un qui est
déprimé a des réactions qu'il ne contrôle pas.

Je jugeai préférable de ne pas pousser la discussion plus avant.

– Vous alliez m'expliquer quels étaient ses
plans?

– Il n'avait pas de plans. Il parlait, c'est tout. Il
disait que le revolver, c'est sale et que les cachets,
c'est aléatoire. La façon la plus propre de se supprimer serait de plonger dans la mer et de nager vers

le large. Mais ce qui l'obsédait vraiment, m'a-t-il avoué, c'était la corde.

– Il voulait se pendre?

– Quand il était enfant, il y pensait déjà.

– Où a-t-il déniché une idée pareille?

– Je ne sais pas. Mais son grand-père était juge et certains le considéraient comme un pourvoyeur de gibets, comme un magistrat qui aimait condamner à mort. Cela a peut-être eu une influence négative sur Nick. L'histoire est pleine de choses plus étranges.

– Est-il arrivé à Nick de mentionner ce juge sanguinaire qu'il avait dans sa famille?

Elle hocha affirmativement la tête.

– Et le suicide?

– Très souvent.

– Eh bien, il avait une drôle de façon de vous faire la cour!

– Je ne me plains pas. J'aime Nick et je voudrais lui rendre service.

Je commençais à la comprendre et, plus je la comprenais, plus elle m'était sympathique. Elle était animée par ce désir d'être utile que j'avais déjà si souvent remarqué chez les filles de veuf.

– J'aimerais que vous réfléchissiez encore à son coup de téléphone. Il ne vous a donné aucune indication de l'endroit d'où il appelait?

– Vraiment, je ne vois pas.

– Essayons quand même. Asseyez-vous devant l'appareil.

Elle s'assit sur une chaise à côté de la table, une main posée sur le combiné comme pour l'empêcher de sonner.

– Il y avait des bruits de fond.

– Quel genre de bruits?

– Attendez une minute! (Elle leva la main pour me faire taire et s'immobilisa, l'air attentif.) Des voix d'enfants... des éclaboussures. C'étaient des bruits de piscine. Il m'a sûrement appelée de la cabine du Tennis Club.

7

J'étais déjà allé au Tennis Club, mais l'hôtesse qui était au bureau m'était inconnue. Cependant, elle connaissait Betty qu'elle accueillit chaleureusement.

– Mais on ne vous voit plus, mademoiselle Truttwell!

– C'est que je suis terriblement occupée. Nick est-il passé aujourd'hui?

– En effet, il est venu, répondit la femme avec réticence. Il y a à peu près une heure. Il est resté un moment au bar. Il n'était pas très en forme en repartant.

– Vous voulez dire qu'il était ivre?

– Puisque vous me posez la question... je le crains. La dame qui l'accompagnait, la blonde, était, elle aussi, sérieusement éméchée. Après leur départ, j'ai passé un savon à Marco, mais il m'a dit qu'il ne leur avait servi que deux verres à chacun. Selon lui, la femme était déjà dans le cirage en arrivant. Et M. Chalmers ne supporte pas l'alcool.

– Il ne l'a jamais supporté, fit Betty. Qui était cette femme?

– J'ai oublié son nom. Il l'avait déjà amenée une fois. (Elle consulta le registre posé devant elle.) Jean Swain, lut-elle.

Je m'étonnai:

– Ce n'est pas Trask?

– Moi, je lis Swain.

Elle me passa le registre, un ongle carmin posé à

53

l'endroit où Nick avait inscrit le nom de sa compagne et le sien. Moi aussi, je lus Swain. Suivait une adresse de San Diego.

– Est-ce que c'était une grande blonde assez bien balancée? Dans la quarantaine?

– En effet. Enfin, ajouta l'hôtesse, bien balancée... si l'on aime les filles un peu dodues.

Elle était tout ce qu'il y a de mince, elle.

Nous gagnâmes le bar, Betty et moi, en suivant la galerie qui dominait la piscine. Les enfants faisaient toujours des bruits d'éclaboussures. Quelques adultes, affalés sur des chaises longues, ici et là, profitaient de la parcimonieuse chaleur du soleil de janvier.

Dans le bar, il n'y avait que deux clients qui s'attardaient sur leur déjeuner. J'échangeai avec le barman un signe de connivence. Marco était un petit bonhomme basané, leste et court sur pattes, qui n'était pas tombé de la dernière pluie. Il portait un gilet rouge.

Il admit d'une voix lugubre que Nick était venu.

– A dire vrai, je l'ai prié de s'en aller.

– Il avait beaucoup bu?

– Pas ici, en tout cas. Je ne lui ai servi que deux bourbons. On ne peut pas considérer ça comme un crime. Qu'est-ce qu'il a fait? Il a eu un accident de voiture?

– J'espère que non. Je voudrais bien mettre la main sur lui avant qu'il n'y ait un accident. Savez-vous où il est allé?

– Non. Mais je peux vous dire qu'il était d'une humeur massacrante. Quand j'ai refusé de lui servir un troisième verre, il a failli faire un esclandre. J'ai été forcé de lui montrer ma canne de billard. (Il se baissa pour me faire voir un lourd talon de queue d'une soixantaine de centimètres.) Je n'aime pas menacer les membres du club avec ça, vous savez, mais il avait un revolver et je tenais à ce qu'il déguerpisse vite. S'il s'était agi de quelqu'un d'autre, j'aurais appelé le shérif.

– Il avait un revolver? demanda Betty d'une petite voix haut perchée.

– Oui, dans la poche de sa veste. Il ne l'a pas sorti, mais un gros pétard comme ça, ça ne passe pas inaperçu. (Marco se pencha sur le comptoir et scruta Betty.) Qu'est-ce qui lui arrive, mademoiselle Truttwell? Il ne s'était jamais conduit ainsi.

– Il a des ennuis, répondit-elle.

– Est-ce que la dame qui était avec lui y est pour quelque chose? La blonde? Elle avait une sacrée descente! Un vrai trou! Elle n'aurait pas dû le faire boire.

– Savez-vous qui était cette femme, Marco?

– Non, mais rien qu'à la voir, on devine que c'est une bonne femme à histoires. Je me demande bien ce qu'il fricote avec elle!

Betty se dirigea vers la porte. Soudain elle se retourna :

– Pourquoi ne lui avez-vous pas pris son revolver, Marco?

– Moi, je ne touche pas à ces outils-là, mademoiselle. Ce n'est pas mon rayon.

Nous remontâmes dans la voiture de Betty. Le club était situé dans une petite baie et une bouffée d'air marin me cingla. Son odeur brutale et sinistre me rappela l'autre parking, celui où j'avais découvert le corps de Sidney Harrow.

Nous nous rendîmes à l'auberge de Montevista, chacun plongé dans ses pensées et sans échanger un mot.

Le jeune réceptionniste se souvenait de moi :

– Vous arrivez juste à temps si vous voulez voir Mme Trask. Elle est sur le départ.

– Vous a-t-elle dit pourquoi elle s'en va?

– J'ai l'impression qu'elle a reçu de mauvaises nouvelles. Certainement quelque chose de grave, car elle n'a même pas discuté en réglant sa note. J'ai été forcé de lui compter une journée supplémentaire. En général, les clients protestent toujours dans ce cas-là.

Je franchis le bosquet de chênes verts et frappai à la porte extérieure du bungalow. La porte intérieure était ouverte et Jean Trask me lança du fond de la chambre :

– Si vous voulez prendre mes bagages, ils sont prêts.

Je traversai la salle de séjour et entrai dans la chambre. Assise devant la coiffeuse, elle se mettait du rouge à lèvres d'une main mal assurée. Nos regards se rencontrèrent dans le miroir. Sa main dérapa, traçant une bouche rouge de clown autour de sa bouche. Elle se retourna et se leva lourdement, renversant le tabouret.

– C'est vous qui venez chercher mes bagages?

– Non, mais je me ferai un plaisir de vous les porter.

J'empoignai ses valises d'un bleu assorti. Elles n'étaient guère lourdes.

– Laissez ça! J'aimerais bien savoir qui vous êtes.

Elle était mûre pour avoir peur de n'importe qui et de n'importe quoi. Et ses hantises étaient telles que son effroi déteignit sur moi. Cette bouche, immense et rouge, m'alarmait. Un rire glaçant me noua les tripes.

– Je me suis informée sur votre compte au bureau, poursuivit-elle. On m'a répondu qu'il n'y avait pas de garde de l'établissement. Alors, que faites-vous ici?

– Pour le moment, je cherche Nick Chalmers.

Inutile que nous tournions autour du pot. Vous savez certainement qu'il traverse une crise grave.

– Absolument! s'exclama-t-elle, comme si elle était heureuse d'avoir en face d'elle quelqu'un devant qui elle pouvait passer ses nerfs. Il parle de se suicider. J'espérais qu'un ou deux verres lui feraient du bien, mais le remède s'est révélé pire que le mal.

– Où est-il à présent?

– Je lui ai fait promettre de rentrer chez lui et de se mettre au lit.

– Chez lui... à son appartement?

– Je suppose.

– Vous êtes bien vague, madame Trask.

– Je m'efforce de l'être, répliqua-t-elle sèchement. C'est moins douloureux.

– Pourquoi vous intéressez-vous tellement à Nick?

– Ce n'est pas votre affaire. D'ailleurs, je ne supporterai pas plus longtemps votre indiscrétion.

Sa voix s'élevait à mesure qu'elle puisait de l'assurance dans sa colère. Néanmoins, j'y décelais le chevrotement de la peur.

– Pourquoi avez-vous tellement peur, madame Trask?

– Sidney Harrow s'est fait descendre cette nuit. (Cette fois, son ton était rendu rauque par l'inquiétude.) Vous le savez sûrement.

– Comment se fait-il que vous le sachiez, vous?

– C'est Nick qui me l'a appris. Comme je regrette qu'il ait mis la main dans ce sac d'embrouilles!

– A-t-il tué Sidney Harrow?

– Je crois qu'il ne le sait pas lui-même. C'est vous dire à quel point il est chaviré. Et je n'ai aucune envie d'attendre ici pour le savoir.

– Où allez-vous?

Elle refusa de répondre à cette question.

Je rejoignis Betty et lui fis part de ce que j'avais appris – en partie, tout au moins. Nous décidâmes de nous rendre séparément à la cité universitaire. Ma voiture était où je l'avais laissée, devant le *Sunset Motor Hotel*. Il y avait un papillon sous l'essuie-glace.

Je renonçai à suivre le coupé rouge de Betty : elle roulait trop vite pour mon goût. Dans les lignes droites, elle frôlait le 150.

Elle m'attendait dans le parking du Cambridge Arms. Dès qu'elle me vit, elle courut vers moi :

– Il est là ! En tout cas, mon auto est là.

Elle me montra la voiture de sport bleue à côté de laquelle elle s'était garée. Je m'en approchai et posai la main sur le capot. Le moteur était chaud. Et la clé de contact était au tableau.

– Vous allez rester en bas, Betty.

– Non ! S'il fait des difficultés... je veux dire qu'il n'en fera pas si je suis là.

– Ce n'est peut-être pas une mauvaise idée...

Nous nous engouffrâmes dans l'ascenseur.

Elle frappa à la porte de Nick.

– C'est moi... Betty !

Il y eut un long silence lourd d'attente. Elle frappa une seconde fois. La porte s'ouvrit d'un seul coup. Machinalement, elle fit un pas en avant et se heurta à la poitrine de Nick. La plaquant contre lui d'une main, il braqua, de l'autre, un lourd revolver sur mon ventre.

Ses lunettes noires à montures enveloppantes cachaient ses yeux et, par contraste, donnaient à son visage une extrême pâleur. Ses cheveux en désordre pendaient sur son front. Sa chemise blanche était sale. Mon esprit enregistrait tous ces détails comme pour enrichir mon ultime vision du monde. J'éprouvais plus de colère que de peur. L'idée de mourir sans raison valable des mains d'un jeune tordu, un gamin que je ne connaissais même pas, me mettait en fureur.

– Lâchez ça, fis-je machinalement.

– Je n'ai pas d'ordres à recevoir de vous.

– Je t'en prie, Nick! le supplia Betty.

Elle se serra davantage contre lui dans l'espoir que le contact de son corps ferait diversion. Nick lui entoura la taille de son bras droit et elle glissa une cuisse entre ses jambes en levant le bras gauche comme pour le prendre par le cou. Mais, au lieu de cela, elle l'obligea d'un coup sec à baisser son poing armé.

A présent, le canon du revolver était pointé sur le plancher. Je plongeai et m'en emparai.

– Salauds! lança-t-il. Vous êtes des salauds tous les deux!

Un garçon à la voix aiguë ou une fille à la voix grave sortit de l'appartement d'en face.

– Que se passe-t-il?

– C'est une séance d'initiation, répondis-je.

Nick se dégagea de l'étreinte de Betty et m'expédia un direct en pleine figure. J'esquivai et, rentrant la tête dans les épaules, je lui décochai un coup de boule qui le projeta à l'intérieur de la pièce. Betty referma et se laissa aller contre la porte. Elle était rouge et haletait.

Nick revint à la charge. Passant sous sa garde, je le frappai sans ménagement au plexus solaire. Il s'écroula, le souffle coupé.

Je fis pivoter le barillet du revolver. Une cartouche avait été percutée. C'était un Colt 45. Je notai son numéro sur mon calepin noir.

Betty vint se placer entre nous deux.

– Vous n'aviez pas besoin de lui faire du mal.

– Si. Mais il va récupérer.

Elle se mit à genoux et voulut caresser la joue de Nick. Il recula. Peu à peu, sa respiration redevint normale et il se dressa sur son séant, le dos appuyé au canapé.

Je m'accroupis devant lui et lui montrai le revolver.

— Où avez-vous trouvé cette arme, Nick?

— Je ne vous répondrai pas. Vous n'avez pas le droit de me contraindre à m'accuser moi-même.

Son timbre, curieusement métallique, faisait penser à un enregistrement magnétique mais j'étais incapable de savoir ce qu'il fallait en conclure. Ses lunettes noires dissimulaient parfaitement ses yeux.

— Je ne suis pas un policier, Nick, si c'est ce qui vous chiffonne.

— Je me moque de ce que vous êtes.

Je fis une nouvelle tentative :

— Je suis un détective privé et je suis de votre côté. Seulement, je ne sais pas très bien où est votre côté. Vous ne voulez pas m'éclairer?

Il secoua la tête comme un gosse qui pique une crise, si rapidement que ses cheveux finissaient par paraître brouillés.

— Je t'en prie, Nicholas, ne fais pas ça! l'implora Betty d'une voix douloureuse. Tu vas te démantibuler le cou. (Elle lui lissa les cheveux. Maintenant, il gardait une immobilité de statue.) Laisse-moi te regarder.

Elle lui ôta ses lunettes. Il voulut les reprendre, mais Betty allongea le bras pour les mettre hors de sa portée. Les yeux sombres de Nick scintillaient et donnaient l'impression d'être doués d'une étrange autonomie. Un regard tourné vers l'intérieur et un regard tourné vers l'extérieur, une alternance d'angoisse et d'agressivité. Je comprenais maintenant pourquoi il portait des lunettes noires : c'était pour cacher ces yeux de chien battu à l'expression changeante.

Il les dissimula derrière ses mains, nous épiant entre ses doigts.

– Ne fais pas cela, Nick, s'il te plaît. (Elle était à nouveau à genoux à côté de lui.) Que s'est-il passé? Dis-le-moi!

– Non. Tu ne m'aimerais plus.

– Rien ne pourrait m'empêcher de t'aimer.

– Même si j'avais tué quelqu'un?

J'intervins:

– Vous avez tué quelqu'un?

Il hocha lentement la tête, une seule fois, dissimulant toujours son visage.

– Avec ce revolver?

Il eut un coup de menton affirmatif.

– Il n'est pas en état de parler, fit Betty. Il ne faut pas le forcer.

– J'ai l'impression qu'il veut vider son cœur. Pourquoi, à votre avis, vous a-t-il téléphoné tout à l'heure?

– Pour me dire au revoir.

– S'épancher vaut mieux que dire au revoir, vous ne croyez pas?

– Je ne sais pas. Je ne sais pas ce que je suis capable de supporter.

Je me tournai vers Nick.

– Où avez-vous trouvé ce revolver?

– Il était dans sa voiture.

– Celle de Sidney Harrow?

Ses mains retombèrent, dévoilant sa figure. Il y avait de l'étonnement et de la peur dans ses yeux.

– Oui.

– Vous l'avez tué dans sa voiture?

Son visage se crispa comme celui d'un bébé apeuré prêt à éclater en sanglots.

– Je ne me rappelle pas.

Du poing, il se frappa tour à tour le front et la bouche. Violemment.

– Arrêtez de le torturer! s'écria Betty. Vous ne voyez pas qu'il est malade?

– Et vous, cessez de le dorloter. Il a déjà une mère pour cela.

Nick leva brusquement la tête.

– Ne dites rien à ma mère. Ni à mon père. Il me tuerait.

Je ne promis rien. Il faudrait bien un jour ou l'autre mettre ses parents au courant.

– Vous vous prépariez à me dire où cela s'est passé, Nick.

– Oui, maintenant je m'en souviens. Nous sommes allés dans le bidonville derrière Ocean Boulevard. Il y avait un feu qui brûlait et nous nous sommes assis devant. Il voulait que je fasse quelque chose d'affreux. (Il parlait avec une candeur d'enfant.) J'ai pris son revolver et je l'ai tué.

A nouveau, il eut une grimace de bébé qui fit disparaître ses yeux, et se mit à geindre doucement, sans une larme. Ce n'était pas drôle de le voir pleurer ainsi, les yeux secs.

Betty l'entoura de ses bras.

– Il a déjà eu des crises semblables, n'est-ce pas? lui demandai-je entre les gémissements syncopés du garçon.

– Jamais à ce point.

– Quand ça arrive, on le soigne chez lui ou à l'hôpital?

– Chez lui. Tu veux rentrer à la maison avec moi, Nick?

Il bredouilla quelque chose qui était peut-être un oui. Je téléphonai chez les Chalmers. Ce fut Emilio, le valet de chambre, que j'eus au bout du fil. Il me passa sa patronne.

– Lew Archer à l'appareil. Je suis avec votre fils. Dans son appartement. Il n'est pas en très bonne forme et je vous l'amène.

– Est-il blessé?

– Mentalement, oui. Il parle de se suicider.

– Je vais appeler tout de suite le psychiatre qui s'occupe de lui, le Dr Smitheram.

– Votre mari est-il là?

– Il est au jardin. Voulez-vous lui parler?

– Ce n'est pas nécessaire, mais il serait bon que vous le prépariez.

– Pouvez-vous vous débrouiller avec Nick?

– Je le pense. Betty Truttwell est auprès de nous.

Avant de partir, je passai un coup de fil à la sûreté de Sacramento. Il y avait là un garçon que je connaissais, un certain Roy Snyder. Je lui donnai le numéro du revolver et il me promit de faire son possible pour retrouver le nom de son premier propriétaire. Avant de démarrer, je rangeai l'arme dans une boîte à échantillons que je mis dans le coffre et je fermai celui-ci à clé.

8

Nous avions pris ma voiture. Betty conduisait et Nick était assis à l'avant entre elle et moi. Il ne dit pas un mot, ne fit pas un geste pendant tout le trajet. Ce ne fut que lorsque nous arrivâmes devant la maison de ses parents qu'il me supplia de ne pas le forcer à descendre.

Je dus le houspiller un peu. Nous le prîmes chacun par un bras, Betty et moi, pour lui faire traverser la cour intérieure. Il avançait de mauvaise grâce, comme si nous avions l'intention de le coller contre un mur face au peloton d'exécution.

Sa mère sortit avant même que nous ne fussions arrivés à la porte.

– Nick? Est-ce que tu vas bien?

– Très bien, répondit-il de sa voix de magnétophone.

Dans le vestibule, Irène Chalmers me demanda:

– Faut-il vraiment que vous voyiez mon mari?

– Oui. Je vous avais priée de le préparer.

– Je n'ai pas pu. Il vous faudra l'avertir vous-même. Il est au jardin.

– Et le psychiatre?

– Le Dr Smitheram était avec un malade, mais il ne tardera pas à arriver.

– Vous feriez bien de convoquer également John Truttwell. Cette affaire a également des aspects juridiques.

Je laissai Nick en compagnie des deux femmes dans le salon. Betty, silencieuse, avait une attitude un peu gourmée, comme si la ténébreuse beauté d'Irène Chalmers projetait son ombre sur elle.

Chalmers s'occupait de ses plantes dans le jardin. Il paraissait frêle, presque gracile dans son Levis décoloré par le soleil mais d'une irréprochable netteté. Il bêchait vigoureusement autour des buissons recépés pour l'hiver et qui ressemblaient à des moignons morts et épineux.

Il me jeta un regard aigu, puis se releva lentement et planta sa bêche dans le sol. Autour de nous se dressaient des statues gréco-romaines tels des nudistes grêlés par les intempéries.

– Je croyais vous avoir précisé que le coffret florentin n'était pas assuré, me lança-t-il, non sans acrimonie.

– C'est bien possible, monsieur Chalmers, mais je ne suis pas assureur.

Il pâlit, son visage se crispa.

– J'avais pourtant cru comprendre que vous représentiez une compagnie d'assurances.

– C'était une idée de Mme Chalmers. En réalité, je suis détective privé. John Truttwell a fait appel à moi au nom de votre femme.

– Eh bien, il n'a qu'à vous renvoyer d'où vous venez! (Il rectifia le tir :) Vous voulez dire que ma femme est allée le trouver à mon insu?

– Ce qui n'était pas une mauvaise idée. Je sais que vous vous faites du souci pour votre fils et je viens de vous le ramener. Il se baladait avec un revolver en parlant de suicide et de meurtre.

Lorsque je l'eus mis au courant des propos de Nick, Chalmers parut consterné.

– Ce n'est pas possible! Il a perdu la raison!

– Oui, dans une certaine mesure. Mais je ne pense pas qu'il mentait.

– Vous croyez qu'il a commis un assassinat?

– Un certain Sidney Harrow est mort. Ils ont eu une altercation et Nick a avoué l'avoir abattu.

Chalmers, les jambes soudain flageolantes, dut s'appuyer sur sa bêche. Il baissa la tête. Il avait une tonsure au milieu du crâne, qu'un léger duvet recouvrait comme pour dissimuler sa vulnérabilité. Et je me pris à songer que les raclées morales que les enfants infligent à leurs parents étaient les plus dures à supporter et les plus dures à éviter.

Mais ce n'était pas à lui-même que pensait Chalmers :

– Pauvre Nick! murmura-t-il. Tout allait si bien... Que lui est-il arrivé?

– Le Dr Smitheram sera peut-être en mesure de vous l'expliquer. Il semble que tout ait commencé avec le vol de la cassette. Apparemment, Nick l'a prise dans le coffre et l'a donnée à une nommée Jean Trask.

– Je n'ai jamais entendu parler de cette personne. Pourquoi aurait-elle voulu le coffret de ma mère?

– Je l'ignore. Il avait de l'importance à ses yeux, semble-t-il.

– Avez-vous vu cette femme?

– Oui.

– Qu'a-t-elle fait des lettres de ma mère?

– Je ne sais pas. J'ai jeté un coup d'œil dans le coffret, mais il était vide.

– Pourquoi ne lui avez-vous pas posé la question?

– Elle n'est pas d'un contact facile. Et il y avait des choses plus graves.

Il se mordilla la moustache avec dépit.

– Par exemple?

– J'ai appris qu'elle avait engagé Sidney Harrow et l'avait fait venir à Pacific Point. Vraisemblablement pour retrouver la trace de son père.

Chalmers me lança un coup d'œil intrigué. Son regard balaya le jardin et se braqua sur le ciel.

– Quel rapport avec nous?

– On ne voit pas très bien, en effet. J'ai une suggestion à faire. Je compte la présenter à l'approbation de John Truttwell. Et à la vôtre aussi, bien sûr. Il serait peut-être sage de remettre le revolver à la police pour qu'on le soumette à des tests balistiques.

– Comment? Vous voulez le donner spontanément à la police?

– Ne vous emballez pas, monsieur Chalmers. S'il s'avère que Harrow n'a pas été tué par cette arme, cela voudra dire que les aveux de Nick ne sont que de la fabulation. Et si c'est bien ce revolver qui a servi pour assassiner Harrow, il sera alors temps d'aviser.

– Nous en discuterons avec John Truttwell. Je n'arrive pas à penser clairement.

Il se passa la main sur le front.

– Même si Nick est l'assassin, la situation ne sera pas désespérée, monsieur Chalmers. Je pense que l'on pourra sans doute faire état de circonstances atténuantes.

– Lesquelles?

– Harrow a poussé Nick à bout. Il l'a menacé avec un revolver. Le même, peut-être. Cet épisode a eu lieu devant votre porte l'autre soir, le soir du vol.

Il me décocha un regard sceptique.

– Je ne vois vraiment pas comment vous pouvez savoir cela.

– J'ai un témoin oculaire, répondis-je, sans toutefois, préciser son identité.

– Où est ce revolver?

– Dans ma voiture. Je vais vous le montrer.

Nous regagnâmes la maison. Nick, sa mère et Betty étaient assis, très raides, sur le divan du salon. On aurait dit un groupe de gens morts récemment pendant une réception. Le jeune homme avait remis ses lunettes fumées qui faisaient comme un bandeau noir sur ses yeux. Chalmers se planta devant lui et le toisa de toute sa hauteur.

– Est-il vrai que tu as tué un homme?

Nick hocha la tête d'un air hébété.

– Pardon, papa. Je n'avais pas l'intention de revenir à la maison. Je voulais me suicider.

– C'est parler comme un lâche. Il faut que tu agisses en homme.

– Oui, papa, murmura Nick avec abattement.

– Nous ferons tout ce qu'il sera possible de faire pour t'aider. Ne te laisse pas aller au désespoir, Nick. Tu me le promets?

– Je te le promets, papa. Pardon.

Chalmers se retourna avec une sorte de rigidité militaire et me fit face. Son expression était stoïque.

Le père et le fils n'ignoraient sûrement pas que le courant n'était pas passé entre eux.

Une fois dans la rue, Chalmers examina ses vêtements de travail avec gêne et dit :

– J'ai horreur de me montrer dans cette tenue en public, comme si les voisins étaient aux aguets.

J'ouvris le coffre de la voiture et lui présentai le revolver, sans le sortir de la boîte à échantillons.

– L'avez-vous déjà vu ?

– Non. D'ailleurs, Nick n'a jamais possédé de revolver. C'est quelque chose dont il a toujours eu horreur.

– Pourquoi ?

– Je suppose qu'il tient cela de moi. Une osmose, en quelque sorte. Mon père m'a appris à chasser quand j'étais enfant, mais la guerre a détruit le plaisir que j'éprouvais à pratiquer ce sport.

– J'ai entendu dire que vous avez eu une très belle conduite pendant la guerre.

– Qui vous a raconté cela ?

– John Truttwell.

– J'aimerais bien que John soit plus discret sur ses affaires et sur les miennes. Je préfère ne pas parler de ce que j'ai fait pendant la guerre. (Son regard s'abaissa sur le revolver qu'il considéra avec une sorte de mépris attristé comme si l'arme symbolisait la violence sous toutes ses formes.) Croyez-vous vraiment qu'il faille confier ce revolver à John ?

– Qu'est-ce que vous proposez ?

– Moi ? L'enterrer et l'oublier.

– Nous serions obligés de le déterrer.

– C'est sans doute vous qui avez raison.

La Cadillac de Truttwell apparut en bas de Pacific Street. L'avocat s'arrêta devant chez lui et traversa la rue d'un pas trottinant. Il accueillit la mauvaise nouvelle comme s'il y était préparé.

– Et voici le revolver, dis-je en lui tendant la boîte, la clé dans la serrure. Il est chargé. Le mieux serait que vous le gardiez par-devers vous jusqu'à ce que nous ayons pris une décision. J'ai demandé que l'on recherche son premier propriétaire.

– Parfait. (Il se tourna vers Chalmers :) Où est Nick ?

– A la maison. Nous attendons le Dr Smitheram.

Truttwell posa la main sur l'épaule osseuse de son ami.

– Je suis vraiment navré que vous soyez à nouveau obligés, Irène et vous, de repasser par ce calvaire.

– Je préférerais que nous parlions d'autre chose.

Chalmers repoussa la main de Truttwell, pivota brusquement sur lui-même et rentra de sa démarche stoïque.

J'accompagnai Truttwell chez lui. Il enferma la boîte contenant le revolver dans un meuble d'acier à l'épreuve du feu.

– Je suis content de m'en être débarrassé, fis-je. Je ne tiens pas à ce que Lackland me surprenne avec cet instrument en ma possession.

– A votre avis, faut-il le lui remettre aujourd'hui ?

– Attendons de recevoir les renseignements que j'ai demandés à Sacramento. A propos, vous avez dit à Chalmers que vous étiez navré qu'il soit obligé de « repasser par tout ce calvaire ». Qu'entendiez-vous par là ? Nick a-t-il déjà eu des ennuis du même ordre ?

Il ne répondit pas tout de suite.

– Tout dépend de ce que vous voulez dire par « des ennuis du même ordre ». A ma connaissance, il n'a encore jamais été impliqué dans une affaire de meurtre. Mais il y a eu un ou deux épisodes... c'est l'expression qu'emploient les psychiatres, n'est-ce pas? Il y a quelques années, il a fait une fugue et il a fallu remuer ciel et terre pour le retrouver.

– Il était devenu hippy?

– Pas tout à fait. En réalité, il essayait de subvenir à ses besoins. Quand les détectives ont finalement retrouvé sa trace, quelque part sur la côte atlantique, il s'était fait embaucher dans un restaurant. Nous avons réussi à le persuader de rentrer à la maison et de terminer ses études.

– En quels termes est-il avec ses parents?

– Il est très proche de sa mère, ce n'est pas forcément ce qu'il a de mieux, fit-il sur un ton cassant. J'ai l'impression qu'il a une véritable adoration pour son père, mais qu'il se sent incapable de l'égaler. C'était exactement l'attitude de Larry Chalmers face à son propre père, le juge. Il doit s'agir là d'un phénomène cyclique.

– Vous m'avez laissé entendre que cet épisode n'avait pas été le seul.

– En effet. (Il s'assit en face de moi.) L'autre histoire est beaucoup plus ancienne. Elle remonte à quatorze ou quinze ans et elle est peut-être à l'origine du déséquilibre de Nick. Le Dr Smitheram a l'air de le croire mais, au delà d'un certain point, il se tait.

– Que s'est-il passé au juste?

– C'est précisément ce dont Smitheram se refuse à parler. Je crois que Nick a été enlevé par une espèce de maniaque sexuel. Sa famille l'a très vite récupéré, mais il était fou de terreur. Il n'avait que huit ans à l'époque. Vous comprendrez facilement pourquoi personne n'est très chaud pour évoquer ce souvenir.

J'avais encore quelques questions à poser à l'avocat, mais on frappa à la porte et la gouvernante apparut.

– Je vous ai entendu rentrer, monsieur. Avez-vous besoin de quelque chose?

– Non, merci, madame Glover. D'ailleurs, je repars tout de suite. Au fait, où est Betty?

– Je ne sais pas.

Mais, en disant cela, elle me regarda d'un air accusateur.

– Chez les Chalmers, répondis-je.

Truttwell se dressa. Tout son corps trahissait une violente colère.

– Cela ne me plaît pas du tout!

– Pas moyen de faire autrement. Elle était avec moi quand j'ai ramené Nick. Elle a été parfaite. Et parfaite aussi avec Nick.

L'avocat s'assena un coup de poing sur la cuisse.

– Je ne l'ai pas élevée pour qu'elle serve d'infirmière à un névrosé!

L'air affolé, la gouvernante battit en retraite, referma la porte sans bruit.

– Je vais de ce pas la ramener à la maison, reprit Truttwell. Elle a gâché toute sa jeunesse avec cette chiffe molle!

– Elle ne m'a pas fait l'effet de croire que c'était du temps perdu!

– Alors, vous êtes de son côté à lui?

On aurait dit un rival.

– Non, je suis du côté de Betty et, probablement, du vôtre. Mais ce n'est bougrement pas le moment d'essayer de la faire changer d'avis.

Quelques secondes suffirent à Truttwell pour comprendre l'allusion.

– Bien sûr... Vous avez raison.

9

Avant de sortir, Truttwell bourra sa pipe qu'il
alluma avec une allumette de cuisine. Je restai dans
le bureau pour téléphoner à Roy Snyder à Sacramento. Ma montre indiquait 5 h 05 : j'étais juste à
l'heure pour avoir Snyder avant qu'il quittât son
bureau.

– C'est encore moi... Archer. Avez-vous des renseignements sur le propriétaire de ce Colt?

– Oui. Il a été acheté à Pasadena par un certain
Rawlinson. Samuel Rawlinson. (Il m'épela le patro-
nyme.) Il l'a acquis en septembre 1941 et s'est fait
en même temps délivrer un permis de port d'arme
par la police de Pasadena. Permis valable jusqu'en
1945. C'est tout ce que je peux vous dire.

– Quel motif a-t-il donné pour obtenir l'autorisation d'être armé?

– Motif professionnel. Pour assurer sa protection.
Il était président d'une banque. La Pasadena Occidental Bank, ajouta-t-il d'une voix sèche.

Après l'avoir remercié, j'appelai les renseignements téléphoniques de Pasadena. La Pasadena
Occidental ne figurait pas à la liste des abonnés
mais, en revanche, Samuel Rawlinson y était. Je lui
téléphonai en préavis. Ce fut une femme à voix
chaude et enrouée qui répondit.

– Je regrette, expliqua-t-elle à l'opératrice, mais il
est difficile pour M. Rawlinson de venir au téléphone à cause de son arthrite.

J'intervins :

– Passez-moi cette dame.

– Parlez, monsieur.

– Lew Archer à l'appareil. A qui ai-je l'honneur?

– Je suis Mme Shepherd. C'est moi qui soigne M. Rawlinson.

– Il est malade?

– Il est âgé. Tout le monde vieillit.

– Comme vous avez raison, madame Shepherd! Je cherche à retrouver les propriétaires successifs d'un revolver que M. Rawlinson a acheté en 1941. Un Colt 45. Pourriez-vous lui demander ce qu'il en a fait?

– Une minute.

Elle s'absenta quelques instants. Il y avait de la friture sur la ligne, avec des murmures lointains, des fragments de conversation, qui se dissolvaient juste avant que je n'arrive à en saisir le sens.

– Il veut savoir qui vous êtes et de quel droit vous voulez l'interroger, m'annonça Mme Shepherd qui ajouta sur un ton d'excuse : Je ne fais que vous rapporter les propres termes qu'a employés M. Rawlinson. C'est un homme très pointilleux.

– Moi aussi. Dites-lui que je suis un détective et que cette arme a peut-être servi cette nuit à commettre un meurtre.

– Où donc?

– A Pacific Point.

– Tiens! C'est là qu'il passait ses vacances. Ne quittez pas.

Elle ne tarda pas à revenir.

– Je suis désolée, monsieur Archer, il ne veut pas prendre la communication. Mais si vous êtes d'accord pour lui expliquer de quoi il retourne, il est prêt à discuter avec vous.

– Quand?

– Après dîner, si cela vous arrange. Il ne sort jamais le soir. Nous habitons 245 Locust Street.

Je répondis que je me rendrais dès que possible à l'invitation.

Au moment de démarrer, je compris que je n'allais pas partir tout de suite : une Cadillac noire ornée du caducée médical était rangée juste devant ma voiture et je tenais à dire un mot au Dr Smitheram.

La porte des Chalmers était béante comme si le souci de sécurité avait été soudain balayé. J'entrai dans le vestibule. Truttwell était là, me tournant le dos. Il discutait avec un personnage corpulent, au crâne dégarni, qui, sans doute, était le psychiatre. Irène et Larry Chalmers étaient là, eux aussi. Et le ton montait.

— L'hôpital est contre-indiqué, était en train de dire l'avocat. Qui sait ce qu'il peut raconter ? Il y a toujours des fuites dans les hôpitaux.

— Pas dans mes cliniques, rétorqua le médecin.

— Peut-être, je ne dis pas le contraire. Mais, même dans ce cas, si l'un de vos employés ou vous-même êtes appelés à témoigner en justice, vous serez bien obligés de répondre aux questions. Contrairement à notre profession...

Smitheram lui coupa la parole.

— Nick a-t-il commis un délit ?

— Je ne répondrai pas à cette question.

— Comment voulez-vous que je m'occupe d'un patient si je ne dispose pas d'informations ?

— Des informations, vous en possédez à la pelle. Vous en avez plus que moi. (Une rancune de longue date frémissait dans la voix de Truttwell.) Il y a quinze ans que vous les gardez sous le coude.

— Au moins, vous reconnaîtrez que je ne me suis pas précipité pour les communiquer à la police.

— Cela l'aurait peut-être intéressée, docteur ?

— Je ne répondrai pas à cette question.

Les deux hommes s'affrontaient, vibrants d'une colère silencieuse. Lawrence Chalmers tenta de s'interposer, mais ni l'un ni l'autre ne lui prêta attention. Sa femme s'approcha de moi et m'attira à l'écart. Aucune surprise dans son regard atone. Comme si elle avait été frappée par quelque chose qu'elle avait vu venir de très loin.

– Le Dr Smitheram veut emmener Nick à sa clinique. A votre avis, que faut-il faire?

– Je suis d'accord avec Me Truttwell. Votre fils a autant besoin d'assistance juridique que d'assistance médicale.

– Pourquoi? me demanda-t-elle de but en blanc.

– Il prétend avoir tué un homme cette nuit. Et il va aller le clamer sur les toits.

Je me tus pour lui donner le temps de digérer la nouvelle. Mais elle réagit comme si elle s'y était attendue.

– Qui était cet homme?

– Un dénommé Sidney Harrow. Il était impliqué dans le vol de votre coffret florentin. Nick aussi, semble-t-il.

– Nick?

– Je le crains. Avec tout ce qu'il brasse dans sa tête, je ne pense pas que sa place soit dans une clinique ni dans un hôpital. Il y a toujours beaucoup d'indiscrétions dans les hôpitaux, comme l'a fait remarquer Truttwell. Ne pourriez-vous pas le garder chez vous?

– Qui s'occuperait de lui?

– Vous et votre mari.

Elle jaugea Chalmers du regard.

– Je ne sais pas si Larry en serait capable. Cela ne se voit pas, mais il est terriblement émotif, surtout quand il s'agit de Nick. (Elle se rapprocha de moi et je sentis comme une aura émanant de son corps.) Est-ce que vous accepteriez, monsieur Archer?

– De quoi faire?

– De rester cette nuit pour surveiller Nick.

– Non.

Le mot était parti comme une balle – sec et définitif.

– Nous vous versons un salaire, n'est-ce pas?

– Et je le gagne, mais je ne suis pas infirmier psychiatre.

– Excusez-moi de vous l'avoir demandé.

Son ton était au vitriol. Elle me tourna le dos et s'éloigna. J'estimai que le mieux était de quitter la maison avant qu'elle ne me fiche à la porte. A Truttwell, j'expliquai où j'allais et pourquoi.

Le psychiatre et lui s'étaient calmés. L'avocat fit les présentations. Smitheram m'offrit une main molle et me jeta un regard dur.

– Je voudrais vous poser quelques questions sur Nick, fis-je.

– Ce n'est ni l'heure ni l'endroit.

– Bien sûr, docteur. Je passerai vous voir à votre cabinet demain.

– Si vous y tenez vraiment... Maintenant, je vous prie de m'excuser, j'ai un malade qui m'attend.

Je le suivis jusqu'à la porte du salon. Betty et Nick étaient assis sur le tapis, l'un à côté de l'autre, mais comme séparés par un mur. S'appuyant sur un bras, elle était tournée vers lui. Le jeune homme, lui, avait la figure enfouie dans ses genoux repliés. Ni l'un ni l'autre ne bougeaient. On avait même l'impression qu'ils ne respiraient pas. Deux êtres perdus dans l'espace, pétrifiés à jamais, chacun figé dans son attitude – celle du désespoir pour l'un, celle de la sollicitude pour l'autre.

Le Dr Smitheram s'assit par terre devant eux.

10

Je passai par Anaheim. C'était la mauvaise heure; par endroits, on avançait à la vitesse d'un escargot éclopé. Il me fallut une heure et demie pour arriver à Pasadena.

Je m'arrêtai devant la maison de Rawlinson et attendis une minute que mes nerfs se purgent de la tension exigée par la conduite sur route. C'était un bâtiment de trois étages faisant partie d'un ensemble. De vieilles maisons – vieilles pour la Californie – ornées de pignons et de tourelles fin de siècle. Un peu plus loin, la rue s'achevait sur une barrière noire et blanche derrière laquelle s'ouvrait un profond ravin aux pentes boisées. Le crépuscule l'envahissait, tombait sur les jardins, assombrissait le ciel lourd et jaune.

De la lumière jaillit de la demeure de Rawlinson. Quelqu'un avait ouvert la porte. Une femme traversa la terrasse et descendit l'escalier en sautant une marche brisée.

Quand elle s'approcha de la voiture, je vis qu'elle n'avait pas loin de soixante ans, bien qu'elle marchât du pas assuré de quelqu'un de plus jeune. Ses yeux noirs brillaient derrière ses lunettes. Son teint était basané. Peut-être avait-elle une trace de sang indien ou nègre. Elle portait une stricte robe grise et un tablier mexicain multicolore.

– Vous êtes le monsieur qui veut voir M. Rawlinson?

– Oui... Lew Archer.

– Je suis Mme Shepherd. Il vient de se mettre à table et vous propose de le rejoindre. Il aime bien avoir de la compagnie quand il mange. Je n'ai fait à dîner que pour nous deux, mais je vous offrirais avec plaisir une tasse de thé.

– Eh bien, va pour la tasse de thé.

Je suivis Mme Shepherd à l'intérieur. Le vestibule était impressionnant à condition de ne pas y regarder de trop près, mais le parquet gondolé fléchissait sous le pied et les murs étaient entartrés de moisissure.

La salle à manger était cependant plus hospitalière. Sous un lustre jaunissant où ne brillait qu'une seule ampoule, le couvert était mis pour une personne. L'argenterie étincelait et la nappe était immaculée. Un vieillard aux cheveux blancs, vêtu d'un veston d'intérieur rouille, était en train de finir une assiettée de ragoût. Quand Mme Shepherd m'eut présenté, il posa sa cuiller et, se levant péniblement, me tendit une main noueuse.

– Faites attention à mon arthrite, je vous prie. Asseyez-vous donc. Mme Shepherd va vous apporter du café.

– Du thé, rectifia-t-elle. Il n'y a plus de café.

Mais elle s'attarda, curieuse d'entendre ce que nous allions dire.

Les yeux de Rawlinson avaient des scintillements de mica. Il attaqua de but en blanc. Ce n'était pas un patient...

– Ce revolver dont vous avez parlé au téléphone... je suppose qu'on s'en est servi à des fins illicites?

– C'est bien possible. Mais je ne sais pas au juste.

– Allons donc! Vous n'auriez pas fait tout ce chemin pour rien.

– Dans mon métier, on doit tout vérifier.

– Si j'ai bien compris, vous êtes enquêteur privé?

– Exactement.

– Au service de qui?

– J'ai été engagé par un avocat de Pacific Point, Me Truttwell.

– John Truttwell?

– Oui. Vous le connaissez?

– J'ai eu deux ou trois fois affaire à lui par l'intermédiaire d'un de ses clients. Cela ne date pas d'aujourd'hui. Il était jeune à l'époque, et moi, je n'étais pas encore vieux. Cela doit remonter à pas loin de trente ans. Il y a près de vingt-quatre ans qu'Estelle est morte.

– Estelle?

– Estelle Chalmers... la veuve du juge Chalmers. Quel phénomène, cette femme!

Il fit claquer sa langue à la manière d'un taste-vin.

La gouvernante, qui ne s'était pas encore résolue à passer la porte, paraissait désolée:

– Mais c'est de l'histoire ancienne, tout cela, monsieur Rawlinson. Cela n'intéresse pas ce monsieur, l'histoire ancienne.

Rawlinson se mit à rire.

– C'est le seul genre d'histoire que je connaisse. Où est donc ce thé que vous avez si généreusement proposé, madame Shepherd?

Elle sortit et referma la porte avec énergie. Rawlinson se tourna vers moi.

– Elle se figure que je suis sa chose. Mais elle se trompe. A mon âge, si je n'avais plus le droit d'avoir de souvenirs, ma vie serait bien vide.

– Vos souvenirs m'intéressent, notamment ceux qui concernent le Colt que vous avez acheté en septembre 1941. On s'en est sans doute servi pour tirer sur un homme hier soir.

– Qui cela?

– Il s'appelait Sidney Harrow.

– Je n'ai jamais entendu parler de lui, laissa-t-il

tomber comme si cela jetait un doute sur la réalité de Harrow. Il est mort?

– Oui.

– Et vous essayez d'établir un lien entre mon revolver et ce meurtre?

– Pas exactement. Je ne sais pas s'il existe un lien ou non. Et j'aimerais le savoir.

– L'analyse balistique devrait vous l'apprendre, non?

– Peut-être, mais on n'a pas encore effectué les tests.

– Dans ce cas, il me semble que vous feriez mieux d'attendre.

– Ce serait sûrement votre opinion si vous étiez le coupable, monsieur Rawlinson.

Il s'esclaffa de si bon cœur que son dentier se décrocha. Il le remit en place en le prenant entre le pouce et l'index. Sur ces entrefaites, Mme Shepherd fit son entrée avec son plateau.

– Qu'y a-t-il de si drôle? lui demanda-t-elle.

– Vous, vous ne trouveriez pas cela drôle. Votre sens de l'humour est déficient.

– Votre sens des convenances aussi. Vraiment, quand on a quatre-vingts ans et qu'on a été président d'une banque...

Elle posa le plateau avec un léger choc qui achevait sa pensée.

– Du lait ou du citron, monsieur Archer?

– Je le prends nature.

Elle remplit deux tasses de porcelaine dépareillées. Devant l'élégance élimée des lieux, je me posai la question de savoir si Rawlinson était pauvre ou s'il était avare. Et que diable était-il donc arrivé à sa banque?

– M. Archer me soupçonne d'assassinat, lança-t-il, vaguement fanfaron.

Elle ne trouva pas cela drôle du tout. Son visage

sombre s'assombrit encore tandis que des plis sévè-
res se creusaient autour de sa bouche et au coin de
ses yeux.

– Pourquoi ne dites-vous donc pas la vérité?
demanda-t-elle sur un ton farouche à Rawlinson.
Vous savez fort bien que vous avez donné ce
revolver à votre fille, et quand.

– Taisez-vous, vous!

– Non, je ne me tairai pas! Vous vous jouez la
comédie à vous-même, mais je ne vous laisserai pas
le faire. Vous êtes malin mais vous n'avez pas
suffisamment de choses pour vous occuper l'esprit.

Rawlinson ne manifesta aucun signe de colère. Il
avait l'air de savourer cette sollicitude quasi conju-
gale. Et, selon toutes les apparences, son mutisme à
propos du revolver n'avait été qu'un jeu. C'était
Mme Shepherd qui était inquiète.

– Qui s'est fait tuer?

– Un pseudo-détective du nom de Sidney Harrow.

Elle secoua la tête.

– Je ne sais pas qui c'est. Buvez votre thé pendant
qu'il est chaud. Voulez-vous un morceau de cake,
monsieur Archer? Il en reste encore un peu de
Noël.

– Non, merci.

– Moi, j'en veux, dit Rawlinson. Avec de la
glace.

– Il n'y a plus de glace.

– On dirait qu'il n'y a plus rien du tout dans cette
maison.

– Il y a de quoi manger, mais ce sont les fonds qui
manquent le plus.

Elle sortit à nouveau et, privée de sa chaleur et de
son dynamisme, l'atmosphère de la pièce changea.
Rawlinson jeta un regard autour de lui, un peu mal

81

à l'aise, comme s'il sentait le froid et la pesanteur de ses os.

– Je regrette qu'elle ait jugé bon de vous brancher sur ma fille et j'espère que vous n'allez pas vous précipiter dans cette direction. Cela ne vous mènerait à rien.

– Pourquoi?

– C'est vrai, j'ai donné mon revolver à Louise en 1945, mais il lui a été volé quelques années plus tard. En 1954, pour être précis. (Il récitait les dates comme pour prouver qu'il avait toujours de la mémoire.) Vous voyez bien que vous feriez chou blanc.

– Qui a volé le Colt?

– Comment le saurais-je? Ma fille a été cambriolée.

– D'abord, pourquoi lui aviez-vous fait cadeau de cette arme?

– C'est une vieille histoire. Et une histoire triste. Son mari est parti, l'abandonnant avec Jean.

– Jean?

– C'est ma petite-fille. Elles vivaient toutes les deux seules et sans défense. Louise voulait avoir un revolver pour se protéger. (Soudain, il rit.) Peut-être espérait-elle qu'il reviendrait.

– Qui?

– Son époux. Eldon Swain. Mon illustre gendre. S'il était revenu, je ne doute pas qu'elle l'aurait abattu. Et je lui aurais donné ma bénédiction!

– Qu'aviez-vous contre votre gendre?

– Excellente question, ricana-t-il. Mais, avec votre permission, j'aime mieux la laisser sans réponse.

Mme Shepherd réapparut, apportant deux tranches de cake pelliculaires. Elle remarqua que je dévorai hâtivement la mienne.

– Vous avez faim. Je vais vous faire un sandwich.

– Ne prenez pas cette peine. Je vais bientôt dîner.

– Cela ne me gênerait pas.

Cette digression mécontentait Rawlinson. Il reprit la parole d'une voix de bonimenteur :

– M. Archer veut savoir pourquoi j'en veux à Eldon Swain... Faut-il que je lui dise?

– Non. Vous parlez trop, monsieur Rawlinson.

– Les malversations d'Eldon sont de notoriété publique.

– Plus maintenant. Croyez-moi, ne remuez pas la boue. Nous pourrions être encore plus mal lotis que nous ne le sommes. C'est ce que je disais à Shepherd : à force de remettre les vieilles histoires sur le tapis, on les fait revivre.

Rawlinson eut une réaction de jalousie :

– Je croyais que votre mari était à San Diego, fit-il avec irritation.

– Randy Shepherd n'est pas mon mari. C'est mon ex.

– Vous l'avez vu?

Elle haussa les épaules.

– S'il vient me rendre visite, qu'est-ce que j'y peux? Je fais de mon mieux pour le décourager.

– Voilà donc où sont passés la glace et le café!

– Pas du tout! Je n'ai jamais rien pris de votre nourriture ni de votre argent pour le donner à Shepherd.

– Menteuse!

– Ne dites pas cela, monsieur Rawlinson. Il y a des choses que je ne supporterai pas, même venant de vous.

Rawlinson était à nouveau béat. L'attention de Mme Shepherd et toute sa fougue étaient braquées sur lui.

Je me levai.

– Il faut que je parte.

Ni l'un ni l'autre ne protesta. La gouvernante m'accompagna jusqu'à la porte.

– J'espère que vous avez trouvé ce que vous étiez venu chercher, monsieur Archer.

– Je l'ai trouvé en partie. Savez-vous où habite sa fille?

– Oui. (Elle me donna une adresse à Pasadena.) Seulement, ne lui dites pas que c'est moi qui vous ai donné le renseignement. Mme Eldon Swain ne m'aime guère.

– J'ai l'impression que cela ne vous empêche pas de dormir. Jean Trask est-elle la fille de Mme Swain?

– Oui. Vous n'allez pas me dire que Jean est mêlée à cette histoire?

– Malheureusement si, je le crains.

– Quelle tristesse! Elle était innocente comme un petit ange. Pendant des années, ma fille et elle étaient les meilleures amies du monde. Et puis, tout est allé à vau-l'eau. (Se rendant soudain compte des propos qu'elle tenait, elle fit claquer sa langue.) Moi aussi, je parle trop et je ressuscite le passé.

11

Louise Swain demeurait dans une rue minable à la périphérie de Fair Oaks, entre la vieille ville et le ghetto. Quelques enfants à la peau plus ou moins foncée jouaient sous un lampadaire, oasis au cœur des ténèbres.

Une lumière chétive brillait sur la véranda du cottage de stuc et une conduite intérieure Ford était garée devant la porte. Elle était fermée à clé. Je donnai un coup de lampe électrique. La plaque d'identification était au nom de George Trask, 4545 Bayview Avenue, San Diego.

Après avoir noté l'adresse, je décrochai mon micro-ventouse et contournai la maison en suivant les deux bandes de ciment qui faisaient office d'allée. Une vieille Volkswagen noire dont un pare-chocs était cabossé stationnait sous un auvent rouillé. Je me dissimulai dans son ombre et me collai contre le mur à côté d'une fenêtre au store baissé.

Mon micro se révéla inutile. La voix de Jean me parvenait, amplifiée par la colère :

– Je ne reviendrai pas auprès de George...

Une autre voix l'interrompit. Une voix de femme dont le timbre trahissait l'âge.

– Tu ferais mieux de suivre mon conseil et de retourner avec lui, disait-elle sur un ton plus calme. George tient toujours à toi. Pas plus tard que ce matin, il m'a demandé de tes nouvelles. Mais cela ne durera pas éternellement.

– Quelle importance!

– Pour toi, cela devrait en avoir. Si tu le perds, tu n'auras plus personne et il faut être passé par là pour savoir ce que cela signifie. Ne va pas t'imaginer que tu pourras t'installer à nouveau avec moi.

– Je ne resterais pas, même si tu me le demandais à genoux.

– Il n'y a pas de danger, répliqua sèchement l'autre femme. J'ai juste assez de place, d'argent et de forces pour moi toute seule.

– Tu n'as pas de cœur, mère.

– Tu crois? Je n'ai pas toujours été ainsi. C'est à cause de ton père et de toi que je suis devenue ce que je suis devenue.

– Tu es jalouse! (La voix de Jean avait changé. Elle s'était faite sifflante et la satisfaction perçait sous sa colère et sa détresse.) Jalouse de ta fille et de ton propre mari! Maintenant, c'est limpide! Pas étonnant que tu en aies fait cadeau à Rita Shepherd.

– Je ne l'ai pas abandonné à Rita. C'est celle qui s'est jetée à sa tête.

– Mais tu lui as donné un sérieux coup de main. Je suis sûre que c'est toi qui as tout monté.

– Il vaudrait mieux que tu t'en ailles avant d'en dire davantage. Tu n'as pas loin de quarante ans et je ne suis pas responsable de toi. Tu as de la chance d'avoir un époux disposé à s'occuper de toi et capable de le faire.

– Je ne peux pas le souffrir. Permets-moi de rester avec toi. J'ai peur.

– Moi aussi, répondit la mère. Peur pour toi. Tu t'es remise à boire, n'est-ce pas?

– J'avais quelque chose à fêter.

– A fêter? Quoi donc?

– Tu voudrais bien le savoir, hein? (Jean ménagea une pause.) Je te le dirai si tu me le demandes gentiment.

– Si tu as quelque chose à dire, eh bien, dis-le mais dépêche-toi.

– Réflexion faite, je ne te le dirai pas, laissa tomber Jean sur le ton d'un enfant qui s'amuse à faire une niche. Tu n'as qu'à trouver toute seule.

– Il n'y a rien à trouver.

– Tu crois? Que dirais-tu si je t'annonçais que papa est vivant?

– Vivant? C'est vrai?

– Tu parles!

– Tu l'as vu?

– Cela ne tardera pas. J'ai retrouvé sa trace.

– Où est-il?

– Ça, c'est mon petit secret.

– Bah! Ce sont encore tes imaginations. Je serais bien bête de te croire.

La réponse de Jean ne fut pas audible. Sans doute les deux femmes étaient-elles arrivées au terme de leur conversation et chacune en avait assez de l'autre. Abandonnant ma cachette, je regagnai la rue sombre.

Jean apparut sur la terrasse éclairée. La porte claqua et la lampe s'éteignit. Je l'attendis près de sa voiture.

A ma vue, elle eut un mouvement de recul et trébucha sur l'asphalte fendillé.

– Qu'est-ce que vous voulez?

– Donnez-moi la cassette, Jean. Elle n'est pas à vous.

– Si. C'est un vieux souvenir de famille.

– Allons! Laissez tomber!

– C'est la vérité. Elle appartenait à ma grand-mère Rawlinson. Et ma grand-mère disait qu'elle me reviendrait un jour. Maintenant, elle est à moi.

Je la crus à moitié.

– Si nous nous asseyions dans votre voiture pour bavarder?

– Cela n'arrange jamais rien. Plus on parle, plus cela fait mal.

Elle avait une tête d'enterrement et ses mouvements étaient apathiques. J'avais l'impression bizarre d'être en face du fantôme, de l'ectoplasme vaporeux de la véritable Jean Trask. Elle était creuse, elle n'était qu'un vide glacé.

– Qu'est-ce qui vous fait mal, Jean?

– L'existence. (Elle appuya ses deux mains écartées sur sa poitrine comme si sa souffrance débordait.) Papa s'est enfui au Mexique avec Rita. Il ne m'a même pas envoyé une carte pour mon anniversaire.

– Quel âge aviez-vous?

– Seize ans. Depuis, je n'ai plus jamais connu la joie.

– Votre père est-il vivant?

– Je crois. Nick Chalmers m'a dit qu'il l'avait vu à Pacific Point.

– A quel endroit?

– Du côté des entrepôts du chemin de fer. Il y a longtemps. Nick était encore un enfant. Mais il a reconnu papa sur une photo.

– Comment Nick a-t-il été mêlé à cette affaire?

– Il est le témoin que papa est vivant.

Sa voix s'était faite plus aiguë et plus forte comme si c'était à la femme qui se trouvait dans la maison qu'elle s'adressait, et non à moi.

– Pourquoi ne serait-il pas vivant? Il n'aurait que... voyons, j'ai trente-neuf ans et il avait vingt-quatre ans quand je suis née. Ça lui ferait donc soixante-trois, n'est-ce pas?

– Trente-neuf et vingt-quatre font effectivement soixante-trois.

– A soixante-trois ans, on n'est pas vieux. Surtout à l'époque actuelle. Il a toujours été très jeune pour son âge. Il faisait de la plongée sous-marine, il dansait, il tourbillonnait comme une toupie. Il me faisait sauter sur ses genoux.

C'était comme la résurgence de son enfance. Son esprit, entraîné par le torrent de la mémoire, s'engouffrait bon gré mal gré à travers des boyaux souterrains en direction de hurlantes cataractes.

– Je vais partir à la recherche de papa, reprit-elle. Et je le retrouverai, mort ou vif. S'il est vivant, je lui ferai sa cuisine, je tiendrai son ménage et je serai plus heureuse que je ne l'ai jamais été. Et s'il est mort, je trouverai sa tombe et savez-vous ce que je ferai? Je me coucherai à côté de lui et je m'endormirai.

Elle ouvrit la portière de sa voiture et démarra.

88

Elle tourna dans le boulevard en direction du sud. J'eus peut-être tort de ne pas la suivre.

12

Je frappai à la porte du cottage. Au bout d'un certain temps, l'ampoule de la terrasse s'alluma, puis le battant s'entrouvrit de la longueur de la chaîne de sécurité. Une femme aux cheveux décolorés m'examina par l'entrebâillement, l'air maussade. Sans doute croyait-elle que c'était encore sa fille. L'atmosphère était chargée d'électricité.

– Qu'est-ce que c'est?

Je répondis :

– Je viens d'avoir une conversation avec votre père à propos d'un Colt qu'il avait acheté en 1941.

– Je ne suis pas au courant.

– Vous êtes bien Mme Eldon Swain?

– Louise Rawlinson Swain, rectifia-t-elle, et elle ajouta : Est-il arrivé quelque chose à mon mari?

– C'est possible. Puis-je entrer? Je suis détective privé.

Je glissai ma licence dans l'ouverture de la porte. Elle l'examina avec soin. Tout juste si elle ne la mordit pas. Finalement, elle me la rendit.

– Pour qui travaillez-vous, monsieur Archer?

– Pour un avocat de Pacific Point, Me Truttwell. J'enquête sur deux affaires qui ont un lien entre elles, un vol et un meurtre.

Je m'abstins d'ajouter que sa fille était mêlée à l'une des deux – à toutes les deux, peut-être.

Elle me fit entrer. La pièce était petite et misérable. Comme chez Rawlinson, on y discernait les vestiges de jours plus heureux. Sur le manteau de la cheminée qui abritait un poêle à gaz, un berger et une bergère de porcelaine échangeaient des regards extasiés. Une natte usée dissimulait le plancher, mais un petit tapis d'Orient était posé sur le dossier du canapé en face duquel trônait un poste de télévision surmonté d'une pendule électrique. A côté, une petite table à tiroir sur laquelle se trouvait un téléphone. Tout était propre, il n'y avait pas un grain de poussière mais cela sentait le moisi, comme si la pièce était plus ou moins à l'abandon. Et son occupante aussi.

Mme Swain ne m'invita pas à m'asseoir. C'était une femme bien en chair, comme sa fille, et elle avait la même lourdeur de bon aloi.

– Qui a été tué?

– Je vais y venir. Mais je voudrais d'abord vous parler d'un coffret volé. Une cassette florentine dont le couvercle est orné de deux personnages classiques, un homme et une femme.

– Ma mère en avait une semblable où elle rangeait ses bijoux. Elle a disparu après sa mort. (Son regard était lourd de réminiscences.) Mais qu'est-ce que cela signifie? A-t-on eu des nouvelles d'Eldon?

– Je ne sais pas.

– Tout à l'heure, vous avez dit : « C'est possible. »

– Parce que je ne veux écarter aucune hypothèse. C'est vrai, c'est pour vous parler de ce revolver que je suis venu vous rendre visite. Mais je suis prêt à aborder tous les sujets que vous voudrez.

– Je n'ai rien à déclarer. Que vous a dit père? me demanda-t-elle néanmoins, après un silence.

– Tout simplement qu'il vous a fait cadeau de ce Colt pour que vous puissiez assurer votre propre protection quand votre mari vous a quittée. C'était en 1945, a-t-il précisé.

– C'est tout à fait exact, fit-elle avec circonspection. A-t-il fait allusion aux circonstances qui ont entouré le départ d'Eldon?

Je lui tendis discrètement la perche :

– Mme Shepherd ne le lui aurait pas permis.

Elle réagit aussitôt :

– Elle a assisté à votre conversation?

– Elle entrait et sortait. Nous étions dans la salle à manger.

– Cela ne m'étonne pas d'elle. Mon père a-t-il dit autre chose en sa présence?

– Je ne me rappelle pas ce qu'il a dit devant elle. En tout cas, il m'a appris que vous aviez été cambriolée en 1954 et qu'on vous a volé ce revolver.

– Je vois.

Elle jeta un regard circulaire autour d'elle comme pour vérifier que cette histoire était crédible.

– C'est ici que le cambriolage a eu lieu?

Elle hocha affirmativement la tête.

– Le voleur a-t-il été arrêté?

– Je ne sais pas. Je ne crois pas.

– Avez-vous averti la police?

– Je ne m'en souviens pas.

Elle mentait mal. Elle avait l'air de se dégoûter elle-même.

– C'est tellement important?

– Je cherche à retrouver les personnes qui ont eu le revolver en leur possession. Si vous avez une idée de l'identité de votre cambrioleur... (Laissant ma phrase en suspens, je jetai un coup d'œil à la pendule électrique. Il était 8 heures et demie.) Il y a une vingtaine d'heures, on a tué un homme avec cette arme. Un certain Sidney Harrow.

Ce nom ne lui était pas inconnu : son expression

se modifia. Sous l'effet de l'émotion, de petits points apparurent autour de ses yeux, là où la peau est mince.

– Jean ne m'en a rien dit, fit-elle au bout d'un instant. Pas étonnant qu'elle ait été terrorisée!

Elle se tordit les mains et recula aussi loin que le lui permettaient les dimensions de la pièce.

– Soupçonnez-vous Eldon d'avoir tué Sidney Harrow?

– Ce n'est pas exclu. C'est votre mari qui a pris le revolver?

– Oui. (Elle baissait les yeux et détournait la tête comme un marcheur dans la tempête.) Je n'ai pas voulu avouer à père qu'Eldon était revenu, ni que je l'avais revu. Alors, j'ai inventé cette histoire de cambriolage.

– Pourquoi ces cachotteries?

– Parce qu'il m'a demandé de lui rendre le revolver le lendemain matin. Je crois qu'il avait appris qu'Eldon était en ville et qu'il avait l'intention de l'abattre. Mais Eldon avait déjà récupéré l'arme. Quelle ironie, n'est-ce pas?

Je n'étais pas tellement sensible à l'ironie de la chose mais j'acquiesçai.

– Que s'est-il passé? Vous avez donné le Colt à Eldon?

– Moi? Jamais de la vie! Je le gardais tout au fond du tiroir. (Son regard se posa sur la table du téléphone.) Je l'ai sorti quand Eldon a cogné. Je savais que c'était lui car il avait une manière bien à lui de frapper aux portes. Les cheveux, la barbe, et vite fait, si vous voyez ce que je veux dire. C'était un rapide, Eldon. Cette audace de revenir au bout de neuf ans après avoir filé au Mexique avec une femme! Après tout ce qu'il nous avait fait, à moi et aux miens, le sourire aux lèvres, prêt à recommencer son numéro de charme comme si de rien n'était.

92

(Elle se tourna vers la porte.) Il n'y avait pas de chaîne de sécurité à l'époque. Je l'ai fait poser le lendemain. La porte n'était pas fermée à clé et Eldon est entré tout souriant en m'appelant par mon nom. Je voulais le tuer, mais je n'ai pas pu appuyer sur la détente. Il s'est avancé et m'a pris le revolver des mains.

Elle s'assit comme si ses forces l'abandonnaient, le dos appuyé au tapis d'Orient. Je m'assis à côté d'elle.

– Que s'est-il passé ensuite ?

– Ce qui s'est passé ? Tout ce que l'on était en droit d'attendre de lui ! Il a tout nié. Il n'avait pas volé l'argent, il n'était pas allé au Mexique avec cette fille. Il s'était enfui parce qu'il était injustement accusé et avait observé la plus stricte continence. Il a même prétendu que ma famille lui devait réparation sous prétexte que père l'avait calomnié en le traitant publiquement de voleur.

– Qu'est-ce que votre mari était supposé avoir fait ?

– Il ne s'agit pas de suppositions. Il était employé comme caissier à la banque de mon père et il a détourné plus d'un demi-million de dollars. Papa ne vous l'a pas dit ?

– Non. Quand cela a-t-il eu lieu ?

– Le 1er juillet 1945, le jour le plus sombre de ma vie. Il a fait faire faillite à la banque de mon père et m'a vendue comme esclave.

– Je ne vous suis pas très bien, madame Swain.

– Vraiment ? (Elle frappa son genou de son poing comme un juge qui joue du marteau pour rétablir l'ordre dans le prétoire.) Au printemps 1945, j'habitais une grande maison à San Marino. Avant la fin de l'été, j'ai dû m'installer ici. J'aurais pu habiter avec Jean chez mon père, Locust Street, mais je ne voulais pas vivre dans la même demeure que

Mme Shepherd. Aussi m'a-t-il fallu chercher du travail. Je n'avais appris qu'une seule chose : la couture. Il y a maintenant plus de vingt ans que je suis démonstratrice en machines à coudre. C'est à cela que je pensais en parlant d'esclavage. (Elle se malaxa le genou.) Eldon m'a dépouillée de toutes les choses agréables de l'existence et il a ensuite essayé de me dire que ce n'était pas vrai en me regardant dans les yeux.

— Je suis désolé...

— Et moi donc ! Désolée de ne pas l'avoir abattu. Si l'occasion m'était à nouveau offerte...

Elle poussa un profond soupir.

— Vous seriez bien avancée ! Et il y a des endroits plus désagréables que cette maison, madame Swain. La prison pour femmes de Corona, par exemple.

— Je sais. C'était juste histoire de parler... (Mais elle se pencha vers moi avec avidité :) Dites-moi... Est-ce qu'on a vu Eldon à Pacific Point ?

— Je l'ignore.

— Je vous le demande parce que Jean prétend que l'on a retrouvé sa trace. C'est la raison pour laquelle elle a fait appel aux services de ce M. Harrow.

— Vous le connaissiez ?

— Ma fille l'a amené ici la semaine dernière. Il ne m'a pas fait très bonne impression, mais Jean a toujours été impulsive quand il s'agit d'hommes. Et vous m'apprenez maintenant qu'il est mort.

— Oui.

— Assassiné avec le revolver qu'Eldon m'a pris, continua-t-elle, l'accent théâtral. Eldon n'aurait pas hésité à tuer en cas de nécessité, voyez-vous ? Oui, il aurait été capable d'abattre tous ceux qui auraient voulu le ramener ici pour le jeter en prison.

— Ce n'était pas l'intention de Jean.

— Bien sûr. Elle chérissait son souvenir comme une imbécile. Mais Sidney Harrow avait peut-être d'autres projets. Il m'a fait l'effet d'un individu sans scrupules. Et n'oubliez pas qu'Eldon a de l'argent à la pelle – plus d'un demi-million de dollars.

– A condition qu'il l'ait gardé.

Elle sourit farouchement.

– Vous ne le connaissez pas. Lui, lâcher ce magot? Tout ce qu'il voulait dans la vie, c'était de l'argent. Et pour parvenir à ses fins, il a agi froidement, méthodiquement. D'après les inspecteurs de la banque, cela faisait largement plus d'un an qu'il préparait son affaire. Et, une fois au Mexique, il a sans doute placé son capital à 10 %.

J'étais un peu sceptique. Selon ses propres dires, elle n'avait pas revu son mari depuis 1954. Son jugement sur Eldon Swain avait ce quelque chose de catégorique qui caractérise les phantasmes auxquels on s'accroche. En vingt ans – vingt ans passés à faire la démonstration de machines à coudre –, une femme est capable d'inventer bien des ragots.

– Etes-vous encore mariés, madame Swain?

– Oui. Il a peut-être demandé le divorce au Mexique, mais je n'en ai jamais entendu parler. Il vit toujours dans le péché avec la Shepherd. Et c'est ce que je veux!

– C'est de la fille de Mme Shepherd que vous parlez?

– Exactement. Telle mère, telle fille. J'ai accueilli Rita Shepherd chez moi, je l'ai traitée comme ma propre fille et elle m'a volé mon mari en guise de remerciement.

– Quel est le vol qui a précédé l'autre?

Elle me regarda avec ébahissement mais, au bout d'un instant, son visage s'éclaira.

– Ah! Je comprends... Oui, Eldon avait pris Rita comme maîtresse avant d'escroquer la banque. Je me suis aperçue très vite de leur petit jeu. Cela a commencé chez nous, à la piscine. A San Marino, nous avions une piscine de douze mètres. Ce souvenir m'est insupportable, acheva-t-elle d'une voix presque inaudible.

Depuis une heure, elle avait été soumise à rude épreuve et, pour ma part, j'en avais assez de jouer le rôle que je jouais. Je me levai dans l'intention de prendre congé et la remerciai.

Mais elle ne l'entendait pas de cette oreille.

— Est-ce que les détectives privés travaillent à crédit? me demanda-t-elle en se mettant pesamment debout.

— A quoi songez-vous?

— Je n'ai pas de quoi vous payer, mais si vous pouviez récupérer une partie de l'argent qu'Eldon a volé...

Elle laissa sa phrase inachevée. Espoir... désespoir...

— Alors, nous serions à nouveau riches, reprit-elle d'une voix basse et implorante. Et, bien entendu, je vous dédommagerais généreusement de votre peine.

— Je n'en doute pas, fis-je en me dirigeant vers la porte. Comptez sur moi pour avoir l'œil au cas où je tomberais sur votre mari.

— Savez-vous à quoi il ressemble?

— Non.

— Attendez. Je vais vous chercher une photo... si ma fille m'en a laissé une.

Elle passa dans la pièce voisine. Je l'entendis soulever et déplacer des objets. Quand elle réapparut, elle brandissait une photo poussiéreuse et elle avait du noir sur la joue. On aurait dit un mineur.

— Jean a pris toutes les bonnes photos, tous mes albums de San Marino, soupira-t-elle. Autrefois, elle les regardait comme les autres jeunes filles regardent les magazines de cinéma. George — c'est son mari – George m'a dit qu'elle projette encore les films de famille que nous prenions à San Marino.

J'examinai le cliché. C'était le portrait d'un homme d'environ trente-cinq ans, aux cheveux blonds et au regard hardi. Il ressemblait à celui qui figurait sur la photo que le capitaine Lackland avait trouvée sur Sidney Harrow, mais l'image n'était pas assez nette pour que j'en sois absolument certain.

13

Après avoir mangé un morceau à Pasadena, je rentrai à West Los Angeles. L'appartement sentait le renfermé. J'ouvris la fenêtre et m'installai avec une bouteille de bière dans la demi-obscurité de la pièce du devant. C'était un quartier calme, à l'écart des grandes artères. Pourtant, leur rumeur me parvenait, lointaine et en même temps proche, comme le bourdonnement du sang dans les veines. Une voiture passait de temps à autre, illuminant brièvement le plafond. Cette enquête était aussi difficile à saisir que ces lueurs évanescentes ou que le sourd bourdonnement de la ville.

L'aspect de l'affaire se modifiait comme cela arrive immanquablement une fois qu'on a mis le doigt dans l'engrenage. Maintenant, Eldon Swain était au centre du collimateur avec toute sa famille. S'il était vivant, il pourrait m'apporter quelques-unes des réponses dont j'avais besoin. Et s'il était mort, ce serait aux gens qui connaissaient son passé de me les fournir.

J'allumai, sortis mon calepin noir et jetai quelques notes concernant les gens en question :

Le Colt 45 que j'ai confisqué à Nick Chalmers a été acheté en septembre 1941 par Samuel Rawlinson, président de la Pasadena Occidental Bank. Le 1ᵉʳ juillet 1945, il en a fait cadeau à sa fille, Louise Swain. Le mari de celle-ci, Eldon, caissier de la banque, venait alors de détourner plus d'un demi-million de dollars, provoquant ainsi la faillite de l'établissement. Il se serait enfui au Mexique en compagnie de Rita Shepherd, la fille de la gouvernante de Rawlinson (et qui avait été autrefois la « meilleure amie » de la propre fille de ce dernier, Jean).

Eldon Swain a fait intrusion chez sa femme en 1954 et est reparti avec le Colt. Comment l'arme est-elle passée des mains de Swain à celles de Nick Chalmers? Par l'intermédiaire de Sidney Harrow ou d'autres personnes?

N.B. San Diego: C'était là qu'habitait Harrow, de même que la fille de Swain, Jean, et son mari, George Trask, de même, aussi, que l'ex-époux de Mme Shepherd.

Quand j'eus fini, il était près de minuit. Je téléphonai à John Truttwell et, à sa demande, lui relus ces notes deux fois de suite. Je conclus en lui disant que, après tout, il serait peut-être bon de remettre le Colt à Lackland pour expertise. Il me répondit que c'était déjà fait.

Je me couchai.

A 7 heures, à en croire ma pendule-radio, la sonnerie du téléphone me réveilla en sursaut. Je décrochai.

— Lew Archer à l'appareil, fis-je d'une voix pâteuse.

— Ici le capitaine Lackland. Je sais qu'il est encore bien tôt pour téléphoner, mais je ne me suis pas couché. J'ai assisté aux tests effectués sur le revolver que vous aviez confié à votre avocat.

— Me Truttwell n'est pas mon avocat.

— Il s'est porté garant de vous mais, compte tenu des circonstances, sa parole ne suffit pas.

— Quelles circonstances?

— Je ne vois pas la nécessité de discuter de cela par téléphone. Pouvez-vous être à mon bureau d'ici une heure?

— Je vais essayer.

Je fis une croix sur mon petit déjeuner. La

pendule électrique accrochée au mur du bureau de Lackland indiquait 8 h moins 2 quand j'entrai. Il m'adressa un signe du menton plutôt sec. Ses yeux étaient plus enfoncés que jamais et des poils grisonnants scintillaient sur son visage. On aurait dit du fil de fer embobiné sur un noyau d'acier. La table était encombrée de photos. Celle du dessus était une microphoto montrant deux balles en gros plan.

Lackland me fit signe de m'asseoir sur la chaise inconfortable qui lui faisait face.

– Je crois qu'il est temps que nous ayons une conversation d'homme à homme, vous et moi.

– A vous entendre, capitaine, j'ai plutôt l'impression qu'il s'agit d'un heurt de personnalités.

Lackland ne sourit pas.

– Je ne suis pas d'humeur à faire de l'esprit. Je veux savoir où vous avez trouvé ce revolver. D'un geste brusque, il me mit sous le nez le Colt fixé sur une planchette à l'aide d'un fil métallique.

– Je ne vous répondrai pas. La loi ne m'en fait pas obligation.

– Que savez-vous de la loi?

– Je suis en rapport avec un excellent avocat et je me fie à son interprétation.

– Pas moi.

– C'est visible. Je suis prêt à coopérer avec vous dans toute la mesure du possible, capitaine Lackland. Le fait que vous ayez ce revolver en main en est bien la preuve.

– La véritable preuve serait que vous m'expliquiez comment il est entré en votre possession.

– Je ne peux pas.

– Changeriez-vous d'avis si je vous disais que nous le savons?

– J'en doute. Mais essayez toujours.

– Nous savons par un témoin que Nick Chalmers était hier en possession d'un revolver. Selon un autre témoin, le jeune Chalmers était dans le voisinage du Sunset Motor Hotel à l'heure approximative où Harrow a été tué.

Il s'exprimait d'une voix sèche et officielle, comme s'il déposait déjà devant la cour – et sans me quitter des yeux. Je m'efforçai de garder un regard aussi indéchiffrable et aussi froid que le sien.

– Pas de commentaires.

– Vous serez bien obligé de répondre devant le tribunal.

– Ce n'est pas sûr. De plus, nous ne sommes pas devant le tribunal.

– Nous pourrons être cités plus tôt que vous ne le pensez. J'ai d'ores et déjà suffisamment d'éléments pour obtenir une inculpation d'un grand jury. (Sa main s'abattit sur les photos étalées devant lui.) J'ai la preuve irréfutable que c'est cette arme qui a tué Harrow. Les balles que l'on a tirées au laboratoire correspondent à celles qui étaient logées dans sa cervelle. Vous voulez jeter un coup d'œil?

J'examinai les microphotos. Je n'avais pas besoin d'être un expert en balistique pour me rendre compte que c'étaient les mêmes projectiles. Nick était mal parti. Il y avait même presque trop d'indices défavorables. En outre, ses aveux me paraissaient sonner de façon de moins en moins réelle.

– Eh bien, capitaine, vous ne perdez pas de temps!

Le compliment sembla le démoraliser.

– Si seulement c'était vrai! Il y a quinze ans que je suis sur cette affaire. Presque quinze ans de gaspillés. (Il me scruta longuement.) ... Franchement, votre aide me serait utile, vous savez. Je ne demande pas mieux que de coopérer. Comme n'importe qui.

– Moi aussi. Mais je ne comprends pas ce que

vous voulez dire. Il y a quinze ans que vous enquê-
tez?

– Si seulement je comprenais moi-même!

Il repoussa les microphotos et sortit d'autres
clichés de l'enveloppe qu'il m'avait montrée la
veille.

– Regardez.

Le premier était le fragment de photo que je
connaissais déjà : Eldon Swain flanqué de robes de
jeunes filles qui, elles, avaient été découpées.

– Vous connaissez cet homme?

– Peut-être.

– Oui ou non?

Je n'avais aucune raison de garder le silence. Il
finirait bien par remonter à Samuel Rawlinson – si
ce n'était déjà fait. Ensuite, il n'y avait qu'un pas à
franchir pour arriver au gendre.

– Il se nomme Eldon Swain, répondis-je. Il habitait autrefois à Pasadena.

Lackland sourit et hocha la tête comme un pro-
fesseur satisfait de voir le cancre de la classe faire
des progrès et sortit une autre photo de l'enveloppe. Elle avait été prise au flash et représentait un
homme à la physionomie usée qui dormait. Je battis
des paupières. L'homme ne dormait pas : il était
mort.

– Et lui? demanda Lackland.

Des cheveux décolorés, presque blancs. Le visage
portait des traces de boue ou de cendre et le soleil
l'avait boucané. Par la bouche entrouverte, on aper-
cevait des dents brisées et les rides encadrant la
commissure des lèvres attestaient d'espoirs tout
aussi brisés.

– Ce pourrait être le même homme, capitaine.

– C'est également mon avis. Et c'est pourquoi j'ai
fait exhumer cette photo du dossier.

– Il est mort?

– Depuis quinze ans. (Il s'exprimait avec une sorte de tendresse bougonne qu'il réservait apparemment aux morts.) Il s'est fait descendre dans le campement des trimardeurs. En 1954. A l'époque, j'étais encore sergent.

– On l'a assassiné?

– Une balle dans le cœur. Tirée par ce revolver. (Il souleva la planchette à laquelle était fixé le Colt.) Le même qui a tué Harrow.

– Comment le savez-vous?

– La balistique, toujours la balistique.

Il prit dans un tiroir une boîte à laquelle était fixée une étiquette. Elle contenait une balle dans un nid de coton.

– Cette balle correspond à celles qui ont été essayées cette nuit et c'est celle qui a tué mon client. J'ai fait le rapprochement parce que Harrow avait cette photo sur lui, ajouta-t-il avec une discrète fierté en tapotant le fragment de photo représentant Eldon Swain et j'ai été frappé par la ressemblance.

– Je crois bien que c'est Swain. Les dates concordent.

J'expliquai à Lackland comment le revolver de Rawlinson était passé des mains de sa fille à celles du mari à éclipses de celle-ci. Il parut fort intéressé.

– Comme ça, Swain est allé au Mexique?

– Il a dû y rester huit ou neuf ans.

– Eh bien, ce détail corrobore l'identification. Le mort était habillé comme un *wetback* (1). Il avait des vêtements mexicains. C'est en partie pour cela que

(1) Littéralement « dos humide ». On appelle ainsi les immigrants clandestins qui s'introduisent aux Etats-Unis en traversant à la nage le Rio Grande. *(N.d.T.)*

nous n'avons peut-être pas insisté comme nous aurions dû. J'ai été garde-frontière pendant la guerre et je sais à quel point il est difficile de retrouver un Mexicain.

— Vous n'aviez pas ses empreintes?

— Eh non, justement. Les mains du cadavre étaient posées sur des charbons ardents. (Il me tendit une photo de mains carbonisées.) Accident ou pas, je n'en sais rien. Il se passe pas mal de choses mystérieuses dans le campement des trimardeurs.

— Il n'y avait pas de suspects?

— Nous avons naturellement passé les migrants au peigne fin. L'un d'eux paraissait assez prometteur de prime abord – un vieux cheval de retour du nom de Randy Shepherd. Il avait trop d'argent sur lui pour un clochard et il avait été vu en compagnie du défunt. Mais il a affirmé qu'il avait fait sa connaissance par hasard sur la route et qu'ils avaient bu un coup ensemble. Nous n'avons pas pu prouver le contraire.

Il me posa plusieurs questions sur Eldon Swain et le revolver auxquelles je répondis.

— Nous avons parlé de tout sauf du point essentiel, dit-il enfin. Comment êtes-vous entré en possession de ce Colt?

— Je suis désolé, capitaine, mais je ne vous répondrai pas. J'espère, en tout cas, que vous ne cherchez pas à flanquer ce vieux meurtre sur les épaules de Nick Chalmers. A l'époque, il était à peine assez grand pour se servir d'un pistolet à amorces.

Mais Lackland était aussi implacable qu'un joueur d'échecs.

— On connaît des enfants qui se sont servis d'un revolver. Il y a des précédents.

— Vous ne parlez pas sérieusement!

Le regard glacial qu'il me décocha semblait vouloir dire qu'il en savait plus que je n'en savais et que je n'en saurais jamais.

14

Je fis halte chez Truttwell pour le mettre au courant. La réceptionniste aux cheveux roses parut soulagée de me voir.

– J'ai vainement essayé de vous joindre, monsieur Archer. Me Truttwell veut vous parler. Il m'a dit que c'était urgent.

– Il est là?

– Non, il est chez M. Chalmers.

Emilio, le valet de chambre, m'ouvrit. M. et Mme Chalmers étaient dans le salon avec Truttwell. On eût dit une veillée mortuaire sans défunt.

– Est-il arrivé quelque chose à Nick?

– Il s'est sauvé, me répondit Chalmers. Je n'ai pas dormi la nuit dernière et il a profité de mon état d'abrutissement. Il s'est enfermé dans la salle de bains du premier. L'idée ne m'est pas venue un seul instant qu'il pourrait passer par la fenêtre. C'est pourtant ce qu'il a fait.

– Quand est-il parti?

– Il y a à peine plus d'une demi-heure.

– C'est extrêmement fâcheux.

– Comme si je ne le savais pas! (Chalmers était crispé et angoissé. Cette longue veille épuisante lui avait ravagé le visage.) Nous espérions que vous pourriez nous aider à le retrouver.

– Il est impossible de faire appel à la police, comprenez-vous? ajouta sa femme.

– Je comprends. Comment était-il habillé, madame Chalmers?

– Comme hier. Il ne s'est pas déshabillé cette nuit. Il a un complet gris, une chemise blanche et une cravate bleue. Et des chaussures noires.

– A-t-il emporté quelque chose?

Ce fut Truttwell qui répondit:

– Malheureusement oui. Il a pris des somnifères dans l'armoire à pharmacie.

– En tout cas, les somnifères ont disparu, précisa Chalmers.

– Qu'est-ce qu'il manque exactement?

– Quelques cachets d'hydrate de chloral et pas mal de nembutal.

– Ainsi qu'une bonne quantité de nembu-serpine, ajouta Mme Chalmers.

– Avait-il de l'argent?

– Je suppose, répondit le mari. Je lui avais laissé ce qu'il avait sur lui. Je ne voulais rien faire qui puisse l'agiter.

– Par où est-il parti?

– Je ne sais pas. Je n'ai réalisé qu'au bout de quelques minutes qu'il s'était sauvé. Je ne crois pas que je ferais un très bon garde-chiourme.

Irène Chalmers eut un claquement de langue presque imperceptible. Un seul, mais éloquent: apparemment, elle estimait que son époux ne manquait pas de qualification seulement pour le métier de geôlier.

Je demandai à voir quel chemin avait pris Nick. Chalmers me conduisit à la salle de bains à laquelle on accédait par un petit escalier carrelé et un couloir dépourvu de fenêtre. L'armoire à pharmacie pillée était béante. J'ouvris la fenêtre qui mesurait environ soixante centimètres sur quatre-vingt-dix et me penchai à l'extérieur. De profondes empreintes de pieds étaient visibles au milieu d'une plate-bande juste au-dessous. Elles étaient pointées vers la maison. Selon toute probabilité, Nick avait dû s'accrocher par les mains au rebord et se laisser tomber. C'étaient les seules traces discernables.

Nous regagnâmes le salon où Irène Chalmers et Truttwell nous attendaient.

– Vous avez eu raison de tenir la police dans l'ignorance de sa fugue, fis-je. A votre place, je n'en parlerais à personne.

– Nous n'avons pas l'intention d'en parler à qui que ce soit, répliqua Chalmers.

– Dans quel état psychologique était votre fils quand il est parti?

– Il allait bien, me semblait-il. Il n'avait guère dormi, mais nous avons parlé raisonnablement au cours de la nuit.

– Cela vous ennuierait-il de me dire de quoi?

– Pas du tout. Je lui ai expliqué qu'il était indispensable de nous tenir tous les coudes et que nous étions prêts à le défendre.

– Quelles ont été ses réactions?

– Il n'a, hélas, pratiquement pas réagi. En tout cas, il ne s'est pas mis en colère.

– A-t-il fait allusion au meurtre d'Harrow?

– Non et je n'en ai pas soufflé mot.

– Ni au meurtre d'un homme assassiné il y a quinze ans?

Le visage de Chalmers s'allongea sous l'effet de la surprise.

– De quoi diable voulez-vous parler?

– Nous verrons cela plus tard. Vous avez suffisamment de problèmes comme cela.

– Je préfère ne pas attendre.

Irène Chalmers se leva et s'avança vers moi. Elle avait les yeux cernés, le teint brouillé et ses lèvres frémissaient d'incertitude.

– Vous n'accusez quand même pas mon fils d'avoir tué quelqu'un d'autre?

– Ce n'était qu'une simple question.

– Une question odieuse.

– C'est bien mon avis. (John Truttwell se mit debout, s'approcha de moi.) Je crois qu'il est temps que nous prenions congé. M. et Mme Chalmers ont eu une nuit épouvantable.

J'adressai aux Chalmers un vague geste d'excuse et emboîtai le pas à l'avocat. Emilio se précipita pour nous ouvrir la porte mais Irène Chalmers nous intercepta tous les trois.

– Où ce prétendu assassinat a-t-il eu lieu, monsieur Archer?

– Au campement des migrants. Selon toutes les apparences, c'est la même arme qui a servi pour abattre Harrow.

– Comment le savez-vous? me demanda Chalmers qui avait rejoint sa femme.

– La police en possède la preuve balistique.

– Et elle soupçonne Nick? Il n'avait que huit ans à cette époque!

– C'est bien ce que j'ai fait remarquer au capitaine Lackland.

Truttwell me regarda avec étonnement.

– Vous avez déjà parlé de cela avec lui?

– Pas dans le sens où vous l'entendez : je n'ai pas répondu à ses questions. C'est de lui que je tiens la plus grande partie de mes renseignements concernant ce meurtre ancien.

– Comment en êtes-vous venus à l'évoquer?

– C'est Lackland qui a abordé la question. Si je l'ai mentionné tout à l'heure, c'est parce que j'ai jugé devoir le faire.

– Je vois.

L'attitude de Truttwell était celle d'une aimable neutralité.

108

– Si vous n'y voyez pas d'inconvénient, j'aimerais discuter de cette affaire en tête-à-tête avec M. et Mme Chalmers.

Je l'attendis dans ma voiture. Il faisait une belle journée d'hiver avec juste assez de vent pour donner un peu de mordant à son éclat scintillant. Mais les événements dont cette maison avait été le théâtre et cette conversation pesaient lourdement sur mes pensées. J'avais peur que les Chalmers ne décident de se passer de mes services. Ce n'était pas une affaire facile, mais maintenant que je m'étais frotté aux personnages qui s'y trouvaient mêlés, je souhaitais continuer jusqu'au bout.

Enfin, Truttwell sortit. Il prit place à côté de moi.

– Ils m'ont demandé de vous rendre votre liberté. Je les en ai dissuadés.

– Je ne sais pas trop si je dois vous remercier.

– Moi non plus. Ce ne sont pas des gens d'un commerce facile. Il m'a fallu les persuader que vous ne faites pas le jeu de Lackland.

C'était une question. J'y répondis :

– Jamais de la vie. Cependant, je suis bien obligé de collaborer avec lui. Cela fait quinze ans qu'il s'occupe de cette histoire. Moi, il n'y a pas vingt-quatre heures.

– A-t-il porté des accusations précises à l'encontre de Nick ?

– Pas exactement. Il a seulement dit qu'un enfant était capable de se servir d'un revolver.

Les yeux de Truttwell se rétrécirent et se mirent à scintiller comme de petits glaçons.

– Croyez-vous que les choses se soient passées comme cela ?

– Lackland m'a fait l'impression de jouer avec cette idée. Il a malheureusement un cadavre pour étayer sa théorie.

– Savez-vous qui était cet homme?

– Son identité n'est pas définitivement établie. Il pourrait s'agir d'un malfaiteur recherché par la police, un certain Eldon Swain.

– Qu'avait-il fait?

– Détournement de fonds. Il y a encore une chose dont il faut bien que je vous parle malgré ma répugnance.

Je me tus un instant. C'était vrai, cela ne me plaisait pas du tout.

– Hier, avant que je le ramène, Nick m'a plus ou moins confessé avoir tué quelqu'un. Or, ses aveux correspondent mieux à l'assassinat de Swain qu'à celui de Harrow. Il n'est pas impossible qu'il ait fait un amalgame des deux crimes.

Truttwell se frappa à plusieurs reprises la paume du poing.

– Il faut le retrouver avant qu'on ne le supprime parce qu'il parle trop!

– Betty est-elle chez vous?

Il me jeta un regard aigu.

– Vous n'allez pas vous servir d'elle comme appât? Comme... comme chèvre?

– Non, mais comme femme. Pourquoi pas? C'est une femme, non?

– Betty est d'abord et avant tout ma fille.

C'était une des phrases les plus révélatrices que j'entendais sortir de sa bouche.

– Je ne veux pas qu'elle soit impliquée dans une affaire de meurtre.

Je ne pris pas la peine de lui rappeler que c'était déjà fait.

– Nick n'a-t-il pas d'autres amis auxquels je pourrais m'adresser?

– J'en doute. Il a toujours été solitaire. C'était d'ailleurs l'une des raisons qui me faisaient m'opposer... (Il laissa sa phrase en suspens.) Le mieux serait peut-être encore que vous voyiez le Dr Smitheram... si vous réussissez à le faire parler. Moi, il y a quinze ans que j'essaie en vain. Nous souffrons, lui et moi, d'incompatibilité professionnelle, ajouta-t-il sèchement.

– Quand vous dites quinze ans...

Il répondit à ma question inachevée :

– Je me rappelle qu'il est arrivé quelque chose à Nick quand il était encore à l'école primaire. Un jour, il n'est pas rentré. Sa mère m'a téléphoné pour me demander ce qu'il fallait faire. Je lui ai donné quelques conseils banals. J'ignore si elle les a suivis ou pas. Toujours est-il que Nick était de retour le lendemain. Depuis, le Dr Smitheram le soigne par intermittences. Sans grand succès, ajouterai-je.

– Mme Chalmers vous a-t-elle donné des renseignements sur ce qui s'était passé ?

– L'enfant avait fait une fugue ou avait été enlevé. Pour ma part, je penche pour la seconde hypothèse et je crois... (Il plissa le nez comme quelqu'un qui hume une odeur désagréable...) ... Je crois que c'était plus ou moins une affaire de mœurs.

– C'est ce que vous m'avez dit hier. Vous ne pouvez pas être plus précis ?

– Un détraqué, répondit-il laconiquement.

– Mme Chalmers vous l'a-t-elle confirmé ?

– Pas de façon explicite. Tout le monde a observé le silence le plus complet à ce sujet.

Sa voix se perdit.

– On observe un silence encore plus sépulcral quand il y a eu un crime.

L'avocat renifla.

– Un gamin de huit ans est incapable de commettre un crime au sens littéral du terme.

– Je le sais, mais les gamins de huit ans, eux, ne le savent pas. Surtout quand tout le monde autour d'eux garde bouche cousue.

Il s'agita d'un air embarrassé sur son siège comme si des images odieuses l'assaillaient.

– J'ai peur que vous ne sautiez trop précipitamment aux conclusions, Archer.

– Ce ne sont pas des conclusions mais des hypothèses.

– Ne trouvez-vous pas que nous sommes un peu loin de votre mission initiale?

– Nous nous attendions dès le début qu'elle prendrait une autre dimension, n'est-ce pas? A ce propos, j'aimerais que vous reconsidériez votre position à propos de Betty. Elle sait peut-être où est Nick.

– Non, fit-il brièvement. Je le lui ai demandé moi-même.

15

Je déposai Truttwell dans le centre. Avant de me quitter, il m'indiqua le chemin de la clinique du Dr Smitheram qui se révéla être un imposant bâtiment moderne situé du côté chic de Montevista. *Clinique Smitheram, 1967*, pouvait-on lire gravé dans la pierre, au-dessus de la porte principale.

Une dame vêtue avec élégance entra dans la salle d'attente sans fenêtre pour me demander si j'avais rendez-vous.

– Non, répondis-je. Mais il s'agit d'une affaire urgente, concernant un malade du docteur.

– Lequel?

Il y avait de l'anxiété dans ses yeux bleus. Des mèches d'argent zébraient ses cheveux châtain foncé comme si le temps les avait affectueusement caressés.

– Je préférerais en discuter avec le docteur.

112

– Vous pouvez parler. Je suis Mme Smitheram et je suis l'assistante de mon mari.

Son sourire était peut-être professionnel, mais donnait l'impression d'être sincère.

– Etes-vous un parent?

– Non. Mon nom est Archer...

– Ah, mais bien sûr! Le détective... Le Dr Smitheram attendait votre visite. (Elle me scruta et ses sourcils se froncèrent légèrement.) Qu'est-il encore arrivé?

– C'est le diable et son train! Je voudrais parler au docteur.

Elle consulta sa montre.

– C'est absolument impossible. Il est avec un malade et il en a encore pour une demi-heure. Je ne peux les interrompre, sauf en cas d'extrême urgence.

– C'est précisément un cas d'extrême urgence. Nick s'est encore sauvé et je pense que la police s'apprête à intervenir.

Elle réagit comme si elle avait été complice de Nick.

– Pour l'arrêter?

– Oui.

– C'est insensé! Et exorbitant! Il était tout petit quand...

Elle laissa sa phrase en suspens comme si un censeur avait brusquement surgi dans sa tête.

– Il était tout petit quand il a fait quoi, madame Smitheram?

Elle aspira rageusement un grand coup et le souffle qu'elle exhala s'acheva en un faible soupir de respiration. Elle disparut par une porte.

Smitheram, gigantesque dans sa blouse blanche, ne tarda pas à entrer, l'air un peu égaré comme un homme émergeant d'un rêve éveillé. Il me serra la main avec impatience.

– Où Nick est-il allé?

– Je n'en ai pas la moindre idée. Ce que je sais, c'est qu'il est parti.

– Qui le surveillait?

– Son père.

– C'est effarant! Je les avais prévenus qu'il fallait mettre ce garçon à l'abri, mais Truttwell s'y est opposé.

Sa fureur s'amplifiait, cherchait de nouveaux boucs émissaires comme si c'était en réalité contre lui-même qu'il était en colère.

– S'ils refusent de suivre mes conseils, je me lave les mains de toute cette histoire.

– Tu sais bien que tu ne le peux pas, fit sa femme, debout devant la porte. La police est aux trousses de Nick.

– En tout cas, elle y sera bientôt, laissai-je tomber.

– Sous quel prétexte?

– Il est soupçonné de deux assassinats. Mais vous êtes probablement plus au fait des détails que moi.

Le regard de Smitheram se vrilla au mien; comme pour un affrontement. C'était indiscutablement à une volonté puissante et une intelligence retorse que je me heurtais.

– Vous m'attribuez un grand savoir.

– Ecoutez, docteur, pourquoi ne pas cesser de nous regarder en chiens de faïence pour nous conduire comme deux êtres humains? Nous voulons, vous et moi, ramener Nick sain et sauf chez lui, empêcher qu'il soit jeté en prison et le guérir... quelle que soit sa maladie.

– C'est ce qui s'appelle un programme chargé, fit-il avec un sourire sans joie. Et j'ai l'impression que nous ne sommes pas tellement bien partis.

– Où a-t-il pu aller?

– C'est difficile à dire. Il a déjà fait une fugue il y a trois ans. Il a traversé tous les Etats-Unis. On l'a retrouvé sur la côte atlantique.

– Nous ne disposons ni de trois mois ni de trois jours. Il a dans ses poches tout un stock de somnifères et de tranquillisants – de l'hydrate de chloral, du nembutal et de la nembu-serpine.

Le regard de Smitheram se troubla.

– Mauvais ça! Il lui arrive parfois de manifester des tendances suicidaires, vous ne l'ignorez sans doute pas.

– Pourquoi?

– Il n'a pas eu une vie heureuse. Et il se le reproche comme s'il était responsable de ses malheurs.

– Si je comprends bien, ce n'est pas votre opinion.

– Personne n'est responsable de ses malheurs. (Il paraissait sincèrement convaincu.) Mais parler n'avance à rien. D'ailleurs, les secrets de mes patients sont sacrés.

Il fit un pas vers la porte.

– Une minute, docteur. La vie de votre malade est peut-être en danger.

– Ecoute M. Archer, Ralph, je t'en prie, le supplia sa femme.

Le Dr Smitheram se retourna et s'inclina avec exagération pour montrer qu'il était à ma disposition. Je préférai ne pas lui poser la question que j'avais sur le bout de la langue concernant l'homme que l'on avait retrouvé mort dans le campement des migrants : cela n'eût fait qu'engendrer de nouvelles ondes de silence.

– Est-ce que Nick vous a fait des confidences, hier?

– Oui, dans une certaine mesure. Ses parents et sa fiancée étaient là presque tout le temps. Naturellement, ils exerçaient sur lui une influence inhibitrice.

– Vous a-t-il cité des noms? Des noms de personnes ou de lieux? Je cherche à trouver un indice révélateur de l'endroit où il s'est rendu.

– Attendez, je vais chercher mes notes.

Il sortit et ne tarda pas à revenir avec deux feuilles de papier couvertes de gribouillages illisibles. Il mit ses lunettes et les parcourut rapidement.

– Il m'a parlé d'une certaine Jean Trask, une dame qu'il fréquente.

– Quels sont ses sentiments à son égard?

– Ambigus. J'ai eu l'impression qu'il la rendait responsable de ses ennuis... je n'ai pas très bien compris pourquoi. Mais, en même temps, il avait l'air de s'intéresser à elle.

– Sur le plan sexuel?

– Ce n'est pas le mot que j'emploierais. C'est un attachement plus fraternel. Il a également mentionné un homme du nom de Randy Shepherd. En fait, il voulait que je l'aide à retrouver ce Shepherd.

– Vous a-t-il dit pourquoi?

– J'ai cru comprendre que Shepherd a été – ou a pu être – témoin d'un événement qui remonte à pas mal d'années.

Smitheram m'abandonna avant que j'aie pu lui poser d'autres questions. Sa femme et moi échangeâmes nos numéros de téléphone mais Mme Smitheram ne voulait pas que je parte si vite. Son regard était vaguement décontenancé comme si quelque chose la tracassait.

– Je sais que ce mur de secret est exaspérant, murmura-t-elle. Mais nous sommes obligés d'agir ainsi. Les patients de mon mari ne lui cachent

116

absolument rien. C'est indispensable pour le traitement.

— Je comprends.

— Et nous sommes à fond du côté de Nick,
croyez-moi. Nous l'aimons beaucoup tous les deux,
lui et toute sa famille. Ce sont des gens qui ont eu
plus que leur part de malheur, comme dit mon
époux.

Le mari et la femme étaient passés maîtres dans
l'art de parler beaucoup pour ne rien dire, mais
Mme Smitheram me donnait le sentiment d'être
une personne expansive qui aurait aimé s'épancher.
Elle me reconduisit jusqu'à la porte, visiblement
mécontente d'en avoir trop dit — ou pas assez.

— Je vous assure, monsieur Archer, qu'il y a dans
mes dossiers des choses qui vous passionneraient.

— Et dans les miens, donc! Un de ces jours, nous
échangerons nos archives.

— Eh bien, ce sera un jour à marquer d'une croix
blanche, fit-elle en souriant.

Il y avait un taxiphone dans le hall de l'immeuble.
Le service des renseignements de San Diego me
donna le numéro de George Trask que je composai
aussitôt. La sonnerie retentit longuement avant
qu'on ne décrochât.

— Allô? fit la voix de Jean Trask, apeurée et
brouillée. C'est toi, George?

— Ici Lew Archer. Si jamais Nick Chalmers passe
chez vous...

— Il n'a pas intérêt à venir. Je ne veux plus rien
avoir à faire avec lui!

— Si néanmoins il vient, ne le laissez pas partir. Il
a des barbituriques plein les poches et je crois qu'il
a l'intention de s'en servir.

— Je me doutais bien que c'était un névrosé.
Est-ce lui qui a tué Sidney Harrow?

— J'en doute.

– N'empêche que c'est bien lui, n'est-ce pas? Et il veut me faire la peau? C'est pour ça que vous me téléphonez?

La terreur rendait sa voix saccadée.

– Je n'ai aucune intention de le penser. (Je passai à un autre sujet:) Connaissez-vous un dénommé Randy Shepherd, madame Trask?

– C'est drôle que vous me demandiez cela. J'allais justement...

Elle s'interrompit brutalement.

– Qu'est-ce que vous alliez faire?

– Rien. Je pensais à autre chose. Je ne connais personne de ce nom.

Elle mentait. Mais allez donc démêler les mensonges de quelqu'un au téléphone! San Diego n'était pas loin et je décidai d'y faire un saut sans me faire annoncer.

– Dommage.

Et je raccrochai.

Je rappelai les renseignements. Il n'y avait pas d'abonné du nom de Randy Shepherd dans la circonscription. Je téléphonai alors à Rawlinson. Ce fut Mme Shepherd qui me répondit.

– Archer à l'appareil. Vous vous souvenez de moi?

– Mais naturellement! Si c'est M. Rawlinson que vous voulez, il est encore au lit.

– Non, c'est à vous que je veux parler, madame Shepherd. Comment puis-je entrer en contact avec votre ancien mari?

– En tout cas, pas par mon intermédiaire. Il a encore fait des bêtises?

– Pas que je sache. Il se trouve qu'un jeune homme de ma connaissance qui dispose d'une quantité de barbituriques a des idées de suicide. Shepherd pourrait peut-être me conduire à lui.

– Qui est ce jeune homme? demanda-t-elle avec circonspection.

– Il s'appelle Nick Chalmers, mais je doute que vous le connaissiez.

– Effectivement, je ne le connais pas. Et je ne puis vous donner l'adresse de Shepherd. Cela m'étonnerait qu'il en ait une. Il habite quelque part dans la vallée de Tijuana, près de la frontière du Mexique.

16

J'arrivai à San Diego un peu avant midi. La maison Trask, Bayview Avenue, qui dominait North Island et la baie, était un édifice massif, style ranch. La pelouse était amoureusement soignée et il y avait des massifs de fleurs. Après avoir secoué le heurtoir en forme d'hippocampe sans obtenir de réponse, j'essayai la poignée sans plus de succès.

Je fis alors le tour de la maison en jetant un coup d'œil à travers les fenêtres, m'efforçant d'avoir l'air d'un éventuel acquéreur. Les rideaux étaient tirés. J'entr'aperçus des placards de bois blanc et une pyramide d'assiettes sales sur un évier en inox, mais ce fut tout ce que je pus voir. Quant au garage, il était fermé de l'intérieur.

Je regagnai la voiture, me rangeai en épi et m'installai confortablement pour attendre. En dépit de sa banalité, cette baraque captivait mon attention. Les allées et venues des bateaux dans la rade et des avions dans le ciel, des ferries, des embarcations de pêche et des mouettes, tout avait l'air d'être centré sur elle.

Les minutes s'étiraient lentement. De temps en

temps passaient un camion de livraison, une voiture remplie d'enfants que conduisait une maman. On ne voyait guère de gens du quartier : ils restaient chez eux – sens de la propriété et volonté de se tenir à l'écart.

Une vieille guimbarde qui détonnait dans le décor gravit la rue en pente en lâchant un nuage de fumée, précédée par le cliquetis d'une courroie de ventilateur qui avait bien besoin d'être graissée. Un grand type décharné portant une canadienne grise et crasseuse, nanti d'une barbe non moins grise et non moins crasseuse, en descendit. Il traversa. Ses espadrilles usées ne faisaient pas de bruit. Il avait sous le bras un panier mexicain. Comme moi, il frappa à la porte et, comme moi, secoua la poignée.

Il examina la rue de gauche à droite et son regard se posa sur moi. Sa tête pivotait rapidement dans un mouvement instinctif. On eût dit un vieux renard expérimenté. J'étais plongé dans la lecture d'une carte routière de la région. Quand je levai à nouveau les yeux, il refermait déjà la porte qu'il avait ouverte.

Je mis pied à terre et notai les renseignements de la plaque d'identité de sa voiture : Randolph Shepherd, Conchita's Cabins, Imperial Beach. La clé de contact était au tableau. Je la mis dans ma poche où se trouvait déjà la mienne. Un numéro du *Times* de Los Angeles, ouvert à la page 3, était posé sur le siège. Sous un titre sur deux colonnes s'étalait le compte rendu de la mort de Sidney Harrow accompagné d'une photo. Une tête de bellâtre. En fait, je ne l'avais jamais véritablement regardé. Mon nom était mentionné, sans plus, et il n'était pas question de Nick Chalmers, mais l'article citait une déclaration du capitaine Lackland qui s'attendait à une arrestation dans les vingt-quatre heures.

120

J'étais encore plié en deux à la portière quand la porte de la maison se rouvrit. Shepherd en sortit d'une allure furtive mais rapide, comme s'il avait été éjecté par une explosion. Ses yeux exorbités étaient deux billes laiteuses et sa bouche un trou dans sa barbe. A ma vue, il s'arrêta net. Son regard parcourut la rue ensoleillée comme si c'était une impasse fermée de hauts murs.

– Salut, Randy.

Son sourire étonné révéla des dents jaunies. Il vint à ma rencontre avec une mauvaise grâce grosse comme une maison. Tel un homme s'enfonçant petit à petit dans une eau glacée.

– J'apportais juste des tomates à Mlle Jean. Dans le temps, je m'occupais du jardin de son papa. C'est que j'ai la main verte.

Il leva la main, pouce en l'air. Un pouce massif, spatulé, incrusté de crasse et s'achevant par un ongle endeuillé et agressif.

– Vous forcez toujours les serrures quand vous faites une livraison, Randy?

– Comment ça se fait que vous connaissiez mon nom? Vous êtes un flic?

– Pas exactement.

– Comment ça se fait que vous connaissiez mon nom? répéta-t-il.

– C'est que vous êtes une célébrité. Je vous attendais. Je voulais faire votre connaissance.

– Qui êtes-vous? Un flic?

– Un flic privé.

Il prit sa décision. La mauvaise. Il avait toujours pris de mauvaises décisions : il n'y avait qu'à voir sa figure couturée pour s'en convaincre. C'était un véritable recueil.

Il lança son pouce en avant, visant mes yeux, et en même temps, leva la jambe pour essayer de me donner un coup de genou. Je lui happai le poignet et le tordis. Pendant quelques instants, nous restâmes ainsi en équilibre, parfaitement immobiles. Ses yeux luisaient de fureur. Mais il fut bien forcé de s'avouer vaincu. Sa physionomie subit toute une série de métamorphoses – les instantanés successifs d'un homme que grignotent la lassitude et la vieillesse. Sa main devint flasque, je le lâchai.

– Dites, patron, vous allez me laisser partir, maintenant? J'ai encore des tas de commissions à livrer.

– Qu'est-ce que vous livrez? Des pépins?

– Moi? Jamais! (Il jeta un coup d'œil du côté de la maison, comme si sa présence était due au plus grand des hasards.) Je monte comme une soupe au lait, mais je ne ferais pas de mal à une mouche. Je ne vous ai pas fait de mal : c'est vous qui m'avez fait mal. C'est toujours moi qui dérouille.

– Mais vous n'êtes pas le seul.

Il grimaça comme si la remarque était cruelle.

– Où est-ce que vous voulez en venir, m'sieu?

– Deux hommes ont été assassinés. Et vous ne l'ignorez pas.

Je m'emparai du journal et lui collai la photo de Harrow sous le nez.

– Je ne l'ai jamais vu de ma vie, protesta-t-il.

– Vous avez laissé votre journal ouvert à cette page.

– C'est pas moi. Je l'ai trouvé comme ça à la gare. J'ramasse régulièrement le canard à la gare. (Il se pencha vers moi. Il transpirait et s'agitait nerveusement.) Dites, il faut que je m'en aille. J'ai une envie de pisser terrible.

– Cette histoire est plus importante que votre envie.

– Pas pour moi.

– Oh, mais si! Vous connaissez un jeune homme du nom de Nick Chalmers?

122

– Il n'est pas...? (Il se reprit :) Qu'est-ce que vous avez dit?

– Vous m'avez entendu. Je suis à sa recherche. Et il se peut qu'il soit à la vôtre.

– Qu'est-ce qu'il me veut? Je n'ai jamais touché à un cheveu de sa tête. Quand j'ai pigé que Swain songeait à un kidnapping...

A nouveau, il s'interrompit et plaqua sa main sur sa bouche comme s'il était possible de rattraper ses paroles ou de les cacher dans sa barbe.

– Swain a enlevé Nick Chalmers quand il était enfant?

– Ce n'est pas à moi qu'il faut le demander. Je suis blanc comme neige.

Mais il cligna des yeux vers le ciel, comme s'il y voyait un nœud coulant se balancer au-dessus de lui.

– Faut pas que je reste au soleil, sinon je vais attraper le cancer de la peau.

– C'est une mort lente et douce. Swain, lui, a eu une mort brutale.

– Vous ne me la collerez pas sur le dos. Même les poulets de Point m'ont laissé partir.

– Ils ne l'auraient pas fait s'ils avaient su ce que je sais.

Il se rapprocha encore de moi et ploya les genoux, se recroquevillant pour avoir l'air plus petit.

– Je suis innocent. Parole! Je vous en prie, m'sieu, laissez-moi m'en aller.

– Nous avons à peine commencé.

– Mais on ne peut quand même pas rester là!

– Pourquoi pas?

Sa tête pivota sur son cou comme une mécanique et il contempla à nouveau la maison. Mon regard suivit le sien. Je remarquai que la porte était légèrement entrebâillée.

– Vous avez laissé la porte ouverte, Randy. Venez, on va la fermer, cela vaudra mieux.

– Allez-y tout seul. J'ai une crampe dans la jambe. Faut que je m'asseye, sinon je vais m'écrouler.

Il grimpa dans sa voiture. Me disant que, sans clé de contact, il ne risquait pas d'aller bien loin, je traversai. En collant mon œil à l'entrebâillement de la porte, je vis des tomates éparpillées dans l'anti-chambre. J'entrai en prenant soin de les éviter.

Une odeur de brûlé venait de la cuisine. J'y découvris une cafetière posée sur un réchaud. Son contenu était complètement desséché et le réci-pient était craquelé. Jean Trask était allongée sur le plancher recouvert de vinyle vert. Je débranchai le réchaud et m'accroupis devant elle. Elle avait reçu plusieurs coups de couteau dans la poitrine et avait une affreuse blessure à la gorge. Elle était vêtue d'un pyjama et d'un peignoir de nylon rose. Le corps était encore chaud.

Elle était morte et pourtant j'entendais quelqu'un respirer. On eût dit que c'était le souffle même de la maison. Je poussai la porte de l'office, passai devant la machine à laver la vaisselle et pénétrai dans le garage contigu.

La Ford de George Trask y était remisée. Et Nick Chalmers gisait à plat ventre sur le ciment.

Après avoir déboutonné son col, j'examinai ses yeux. Ils étaient révulsés. Je le giflai sèchement à deux reprises sans qu'il réagisse. Je m'entendis pousser un gémissement.

Trois tubes à pharmacie vides de tailles différen-tes étaient éparpillés à côté de lui. Je les mis dans ma poche. Je n'avais pas le temps de me livrer à une perquisition plus approfondie. Nick avait de toute urgence besoin d'un lavage d'estomac.

Je soulevai le rideau de fer du garage et allai chercher ma voiture, pris le jeune homme dans mes bras – il était grand et ce ne fut pas facile – et l'étendis sur la banquette arrière. Avant de partir, je refermai la porte de la maison.

Le tacot de Shepherd n'était plus là. Apparemment, l'ami Randy était aussi habile pour faire démarrer une auto sans clé de contact que pour ouvrir les portes fermées à double tour. Mais, compte tenu des circonstances, il m'était difficile de lui en vouloir d'avoir filé à l'anglaise.

17

Je conduisis Nick à l'hôpital. Un accident de voiture avait eu lieu récemment et tout le monde était sur le pont. Je me mis en quête d'un brancard. En ouvrant une porte, je vis un cadavre et m'empressai de la refermer. Je trouvai une civière à roulettes dans une autre pièce. Je la sortis, y installai Nick et la poussai jusqu'au bureau.

– Ce garçon a besoin d'un lavage d'estomac. Il est bourré de barbituriques.

– Encore un! s'exclama l'infirmière.

Elle me tendit un formulaire et se tourna vers Nick. Sans doute le spectacle de ce beau garçon inanimé l'émut-il, car elle oublia provisoirement la bureaucratie. Elle m'aida à pousser la civière jusqu'à la salle des urgences et alla chercher un jeune médecin au nom arménien qui tâta le pouls de Nick, l'ausculta et examina ses pupilles. Elles étaient contractées.

– Savez-vous ce qu'il a pris? me demanda-t-il.

Je lui montrai les tubes que j'avais ramassés dans le garage. Ils portaient le nom de Lawrence Chalmers ainsi que la désignation et la quantité des produits qu'ils avaient contenus : hydrate de chloral, nembutal et nembu-serpine.

Le docteur me décocha un coup d'œil scrutateur.

– Il n'a pas tout avalé ?

– J'ignore si les tubes étaient pleins. Je ne crois pas.

– Espérons, en tout cas, que celui d'hydrate de chloral ne l'était pas. Vingt cachets suffisent pour tuer deux hommes.

Tout en parlant, il s'était mis en devoir d'introduire un tube flexible dans l'une des narines de Nick. Il ordonna à l'infirmière d'aller chercher une couverture et de préparer une perfusion de glucose.

– Cela fait combien de temps qu'il a avalé ces cochonneries ?

– Je ne peux pas vous dire exactement. Deux heures, peut-être. A propos, qu'est-ce que la nembu-serpine ?

– Une combinaison de nembutal et de réserpine. C'est un tranquillisant utilisé dans le traitement de l'hypertension. Et aussi en psychiatrie. (Son regard croisa le mien.) Ce garçon souffre-t-il de désordres émotionnels ?

– Plus ou moins.

– Je vois. Vous êtes un parent à lui ?

– Disons un ami.

– Je vous demande cela à cause des formalités d'admission. Le règlement de l'hôpital prévoit une surveillance de vingt-quatre heures sur vingt-quatre pour les patients qui ont tenté de se suicider. Ça coûte cher.

– Il ne devrait pas y avoir de problèmes. Son père est milliardaire.

– Sans blague ? fit-il, nullement impressionné. De

126

plus, il faudrait que son médecin traitant le voie avant l'admission. D'accord?

– Je ferai de mon mieux, docteur.

Je repérai une cabine téléphonique et appelai les Chalmers. Ce fut Irène que j'eus au bout du fil.

– Ici Lew Archer. Puis-je parler à votre mari?

– Lawrence n'est pas là. Il cherche Nick.

– Eh bien, il peut arrêter. Je l'ai trouvé.

– Il va bien?

– Non. Il a avalé les cachets. On est en train de lui faire un lavage d'estomac. Je suis à l'hôpital de San Diego. Vous m'entendez?

– L'hôpital de San Diego, oui. Je connais. J'arrive tout de suite.

– Venez avec le Dr Smitheram. Et amenez aussi John Truttwell.

– Je ne sais pas si ce sera possible.

– Dites-leur que c'est très grave. C'est la vérité, madame Chalmers.

– Va-t-il mourir?

– Ce n'est pas exclu. Espérons quand même qu'il s'en sortira. A propos, prenez votre carnet de chèques. Son état réclame la présence d'infirmières spécialisées.

– Oui, bien sûr. Merci.

Sa voix était atone et j'étais incapable de savoir si elle avait enregistré ou non.

– Apportez votre carnet de chèques, répétai-je. Ou prenez de l'argent liquide.

– Oui, évidemment. J'étais en train de penser que la vie est vraiment bizarre. Elle se mord la queue. Nick est né dans cet hôpital où vous me dites qu'il va peut-être mourir.

– Non, madame Chalmers. Je ne crois pas qu'il mourra.

Mais elle s'était mise à pleurer. J'attendis qu'elle eût raccroché.

Il est de mauvaise politique de ne pas signaler un crime dont on a connaissance : aussi appelai-je la police. Je donnai à l'homme de permanence l'adresse de George Trask, Bayview Avenue.

– Il y a eu un accident là-bas.

– Quel genre d'accident ?

– On a égorgé une femme.

– Qui êtes-vous, s'il vous plaît ?

Mon interlocuteur avait parlé d'une voix plus sonore. Il était visiblement intéressé.

Je coupai la communication et m'appuyai au mur. La tête me tournait et je faillis tomber dans les pommes. Me rappelant que je n'avais pas eu le temps de prendre mon petit déjeuner, ce matin, j'errai dans l'hôpital jusqu'à ce que je découvre la cafétéria. Je bus deux verres de lait et mangeai un œuf mollet sur toast – comme un infirme : les événements de la matinée me pesaient sur l'estomac.

Je retournai à la salle des urgences. Nick était toujours en main.

– Comment va-t-il ?

– Difficile à dire, répondit le médecin. Remplissez donc ce formulaire. Nous pourrons alors faire une admission provisoire et le mettre dans une chambre individuelle. D'accord ?

– Ce sera parfait. Sa mère et son psychiatre devraient arriver d'ici une heure environ.

Il haussa les sourcils.

– Il est très malade ?

– Vous voulez dire mentalement ? Oui, il est assez touché.

– C'était la question que je me posais.

Il glissa une main sous sa blouse blanche et en sortit un bout de papier déchiré.

– C'est tombé de sa poche.

C'était un message écrit au crayon : *Je suis un*

assassin et je mérite la mort. Pardonnez-moi, papa et maman. Je t'aime, Betty.

– Ce n'est pas un meurtrier, n'est-ce pas?

– Non.

Ma dénégation ne me parut pas tellement convaincante, mais le docteur l'accepta comme argent comptant.

– En principe, la police aimerait jeter un coup d'œil sur cette note. Mais à quoi bon compliquer encore la vie de ce garçon?

Je pliai le papier, le rangeai dans mon portefeuille et m'esquivai avant qu'il ne changeât d'idée.

18

La caissière d'un restaurant *drive-in* d'Imperial Beach m'indiqua le chemin du lieu dit les Chalets de Conchita.

– Mais ça m'étonnerait que vous ayez envie d'y rester, ajouta-t-elle.

Je compris le sens de ce propos en arrivant : des ruines! Cela avait l'air aussi vieux que des vestiges archéologiques. *Un dollar par tête – gratuit pour les enfants*, annonçait une pancarte devant le bureau. Les chalets étaient de petits cubes de stuc marqués par les outrages du temps. L'entrée du plus important – *On boit et on danse* – avait depuis longtemps été condamnée par des planches.

Le vert tendre d'un peuplier rachetait un peu le décor et je restai une minute sous son ombre d'un gris rafraîchissant à attendre que quelqu'un m'y découvrît.

Une robuste gaillarde émergea d'un des bungalows. Des bras épais de la couleur du pain d'épice sortaient de sa robe sans manches. Elle avait un foulard rouge sur la tête.

– Vous êtes Conchita?

– Je m'appelle Florence Williams. Cela fait trente ans que Conchita est morte. On a gardé son nom quand on a acheté, Williams et moi. (Elle regarda tout autour d'elle comme si c'était la première fois depuis pas mal de temps qu'elle voyait vraiment le paysage.) On ne le dirait pas, mais ça rapportait une fortune pendant la guerre, ces chalets.

– C'est qu'il y a une sérieuse concurrence, maintenant.

– A qui le dites-vous! (Elle me rejoignit sous l'ombre du peuplier.) Qu'est-ce que je peux faire pour vous? Si vous avez quelque chose à vendre, ne prenez pas la peine d'ouvrir la bouche. Je viens de perdre mon avant-dernier locataire.

Elle agita le bras dans un geste d'adieu en direction de la porte ouverte du chalet.

– Randy Shepherd?

Elle fit un pas en arrière et me considéra de haut en bas.

– Vous êtes à sa recherche, hein? Je pensais bien qu'il avait quelqu'un à ses trousses, rien qu'à la façon dont il est parti sans emporter ses affaires. Le seul ennui, c'est que ça ne vaut pas grand-chose. Pas même le dixième de ce qu'il me doit.

Elle m'évaluait du regard.

– Et ça se monte à combien, ce qu'il vous doit, madame Williams?

– Avec les années, ça doit bien faire des centaines de dollars. Quand mon mari est mort, il a réussi à me persuader de financer sa chasse au trésor.

– Quelle chasse au trésor?

– De l'argent enterré. Il a loué du matériel lourd et a retourné presque tout mon terrain et la moitié du comté. L'endroit n'a plus jamais été le même

130

après. Et moi non plus. On aurait dit qu'un ouragan était passé.

– Je serais disposé à prendre une participation sur cette chasse au trésor.

– Je vous abandonne mes droits moyennant cent dollars cash, répliqua-t-elle du tac au tac.

– Avec Randy Shepherd en prime?

– Ça, c'est un autre problème. (A parler d'argent, ses yeux déteints s'étaient mis à scintiller.) Ce ne serait pas du fric qui laisse du sang sur les mains, hein?

– Je n'ai pas l'intention de le tuer.

– Alors, pourquoi avait-il tellement la frousse? Je ne l'avais jamais vu aussi épouvanté. Vous prétendez que vous ne voulez pas sa peau, mais qu'est-ce que j'en sais, moi?

Je lui dis qui j'étais et lui montrai ma licence.

– Où est-il allé, madame Williams?

– Ces cent dollars, faites voir un peu leur couleur.

Je sortis deux billets de cinquante de mon portefeuille et lui en tendis un.

– Je vous donnerai l'autre quand vous m'aurez dit ce que vous savez sur Shepherd. Comment puis-je le trouver?

Elle tendit le doigt vers le sud.

– Il a pris la route de la frontière. Il est à pied, impossible de le manquer. Il n'y a guère plus de vingt minutes qu'il est parti.

– Qu'est devenue sa voiture?

– Il l'a vendue à un ferrailleur. C'est ce qui me fait croire qu'il cherche à passer au Mexique. Ce ne sera pas la première fois. Il a des amis de l'autre côté qui le cacheront.

Je me dirigeai vers l'auto. Elle me suivit. Ses mouvements étaient d'une vivacité surprenante.

– Ne lui dites pas que je vous ai raconté tout ça,

voulez-vous ? Sinon, il reviendrait par une nuit sans lune pour me trouer la paillasse.

– Je serai muet comme une tombe, madame Williams.

Je m'enfonçai en direction du sud, la carte étalée sur le siège de droite. Aux exploitations succédèrent des prés où paissaient des vaches, puis ce fut un champ de tomates qui s'étendait à perte de vue. Les tomates avaient été cueillies, mais je distinguai çà et là un fruit ratatiné, oublié sur un pied flétri. Au bout de deux kilomètres et demi, la route fit un coude. Maintenant, elle longeait un maquis de petits buissons épineux. Et j'aperçus Shepherd.

Il avançait d'un pas vif, presque au petit trot. Une couverture roulée en boudin était passée à son épaule et il était coiffé d'un chapeau mexicain. Un peu plus loin, Tijuana se profilait contre le ciel tel un somptueux dépotoir. L'homme se retourna. Il vit ma voiture et se mit à courir. Il plongea soudain dans les broussailles. Quand il réapparut au milieu du lit d'un ruisseau sec, il avait perdu sa coiffure avachie mais avait toujours sa couverture.

Je sautai à terre et m'élançai pour le rattraper. Un crotale lové sous un ocitillo m'adressa un sifflement d'avertissement, ce qui détourna mon attention. Quand je repris mes esprits, il n'y avait plus trace de Shepherd.

Baissant la tête et m'efforçant de faire le moins de bruit possible, je m'enfonçai à travers la garrigue en direction de la route parallèle à la frontière que matérialisait une clôture de barbelés. D'après la carte, elle s'appelait Monument Road. Si Shepherd voulait passer de l'autre côté, il serait obligé de franchir Monument Road. Je me tapis dans le fossé et restai aux aguets à surveiller les deux côtés de la route.

J'attendis ainsi près d'une heure. Les oiseaux

finirent par s'habituer à moi et les insectes devinrent familiers. Dans le ciel, le soleil basculait très lentement. Je n'arrêtais pas de tourner la tête, comme si j'assistais à un match de tennis languissant.

Shepherd, quand il surgit, n'avait, lui, rien de languissant dans son attitude. Il émergea des broussailles à quelque deux cents mètres à l'ouest de mon poste d'observation, traversa la route à toute vitesse, sa couverture tressautant sur son épaule, et se lança à l'assaut de la pente, droit sur la clôture qui marquait la frontière.

Là, le terrain avait été nettoyé. Je me ruai en avant et rattrapai mon bonhomme avant qu'il n'eût franchi la ligne de démarcation. Il se retourna, le dos appuyé au grillage, et grinça :

– Eloignez-vous si vous voulez pas que je vous mette de l'air dans l'estomac.

Un couteau avait jailli dans sa main. Tout en haut de la colline, derrière la clôture, une bande de petits garçons et de petites filles parurent sortir de terre.

– Lâchez ce couteau, fis-je d'une voix où perçait une certaine lassitude. Nous attirons l'attention.

Je tendis le doigt vers le groupe des gosses. Quelques-uns répétèrent mon geste, d'autres agitèrent le bras. Cédant à la tentation de regarder, Shepherd tourna légèrement la tête. Je lui fis aussi sec une clé au bras qui l'obligea à ouvrir la main. Le couteau tomba. Je le pris, refermai la lame et le balançai en territoire mexicain. Un gamin dévala la colline pour le récupérer. Au loin, là où se trouvaient les premières maisons, une trompette invisible s'éleva soudain comme pour une course de taureaux. J'eus l'impression que le Mexique me regardait en rigolant. Une impression pas tellement désagréable.

– Je ne veux pas trinquer pour un meurtre commis par un rôdeur! s'exclama Shepherd en pleurant presque. Si je me retrouve au trou, j'en mourrai.

– Je ne crois pas que vous soyez l'assassin de Jean Trask.

Il me jeta un regard étonné, mais sa stupéfaction eut la vie brève.

– C'est rien que des mots!

– Non, Randy. Mais ne restons pas là. Pas la peine que vous vous fassiez épingler par une patrouille. On va aller quelque part où nous pourrons parler.

– Parler de quoi?

– Je suis prêt à conclure un marché avec vous.

– Pas moi. A tous les coups, je me fais couillonner.

Il avait un cynisme de voleur à la petite semaine et il commençait à m'énerver.

– Allez! Avance, gros malin.

Je le pris par le bras et l'entraînai vers la route en contrebas. Une voix d'enfant presque aussi stridente qu'un coup de sifflet retentit à travers les flonflons de la trompette, côté Mexique :

– Adios!

19

Nous suivîmes Monument Road jusqu'à la route nord-sud qui la coupait. Il recula à la vue de ma voiture. Elle pouvait l'emmener si vite et si loin... jusqu'à la prison.

– Randy, mettez-vous une fois pour toutes dans le crâne que ce qui m'intéresse, ce n'est pas vous mais ce que vous savez.

– Et qu'est-ce que ça me rapportera?

– Que voulez-vous?

– Une honnête récompense, pour une fois, répondit-il avec véhémence comme un homme qui a été dépouillé de ses droits légitimes. Assez d'argent pour pouvoir vivre. Comment faire pour ne pas violer la loi quand on n'a pas assez pour vivre?

C'était une bonne question.

– Si j'avais ce à quoi j'ai droit, continua-t-il, je serais riche. Je me nourrirais d'autre chose que de tortillas et de chili.

– C'est à l'argent d'Eldon Swain que vous faites allusion?

– Il n'est pas à Swain. Il appartient à celui qui le trouvera. Ça fait des années que le délai de prescription est arrivé à son terme, précisa-t-il avec un souci de la formule juste bien digne d'un avocat d'occasion formé par la prison. Et le fric est à qui le prendra.

– Où est-il?

– Quelque part par là. (Il fit un geste circulaire embrassant l'horizon, la rivière à sec et les champs incultes qui s'étiraient derrière elle.) Depuis vingt ans que j'étudie le coin, je le connais comme ma poche. (On aurait dit un prospecteur qui eût perdu la raison à force de chercher de l'or dans le désert.) J'ai seulement besoin d'un peu de chance pour trouver les coordonnées. Je suis l'héritier légal d'Eldon Swain.

– Comment cela?

– On a fait un marché. Il portait de l'intérêt à quelqu'un de ma famille. (C'était probablement de sa fille qu'il parlait.) Alors, on s'est entendus.

Ce souvenir parut le ragaillardir. Il prit place dans la voiture sans discuter et posa sa couverture à l'arrière.

– Où est-ce qu'on va, maintenant?

– Pour le moment, nous pouvons aussi bien rester là.

– Et après?

– Nous nous en irons chacun de notre côté.

Vivement, il me scruta comme pour s'assurer de ma sincérité.

– Vous cherchez à me faire une entourloupette, vous!

– Attendez, vous verrez bien. Commençons par régler une première question. Pourquoi êtes-vous allé chez Jean Trask aujourd'hui?

– Pour lui apporter des tomates.

– Pourquoi avez-vous forcé la serrure?

– J'ai cru qu'elle dormait. Elle a le sommeil drôlement lourd, des fois, quand elle a bu. Mais je ne savais pas qu'elle était morte. J'avais à lui causer.

– De Sidney Harrow?

– De ça aussi. Je savais que les flics l'interrogeraient. En fait, c'est moi qui l'avais présentée à Sidney et je ne voulais pas qu'elle parle de moi aux poulets.

– Parce que vous aviez été soupçonné d'être l'assassin de Swain?

– En partie pour ça. J'étais sûr qu'ils sortiraient le dossier des oubliettes. Si mon nom venait sur le tapis et si on découvrait que j'avais été en rapport avec lui, j'aurais été bon comme la romaine : je me faisais enchrister d'autorité. Merde! Ça remonte à trente ans, tout ça!

– C'est pour cela que vous n'avez pas identifié son cadavre, à l'époque!

– Exact.

– Et vous avez laissé Jean croire que son père était vivant? Vous l'avez laissée le rechercher?

– Ça lui faisait du bien, elle n'a jamais su comment il est mort.

136

– Qui l'a tué?

– Je l'ignore. Parole d'homme! Tout ce que je sais, c'est que c'est pas moi.

– Vous avez fait allusion à un enlèvement.

– C'est juste. Et c'est à cause de ça qu'on s'est séparés. Je reconnais que j'ai été un truand dans le temps. Mais je ne me suis jamais mouillé dans des histoires de gangsters. Quand il a commencé à préparer ce rapt, je l'ai laissé choir. Quand il est revenu du Mexique en 1954, c'était plus l'homme qu'il était avant, ajouta-t-il pensivement. Je crois qu'il était devenu un peu dingo, là-bas.

– Swain a-t-il kidnappé Nick Chalmers?

– C'est du petit Chalmers qu'il causait, en tout cas. Moi, je ne l'ai jamais vu, ce gosse. Il y avait longtemps que je n'étais plus là quand c'est arrivé. Et les journaux n'ont rien dit. Probable que les parents se sont arrangés pour qu'ils la bouclent.

– Pourquoi un homme à la tête d'un demi-million de dollars se serait-il risqué à commettre un rapt?

– C'est pas moi qui vous répondrai. Swain n'arrêtait pas de changer son histoire. Un jour, il affirmait qu'il avait cet argent, un autre jour il disait le contraire. Ou bien il racontait qu'il l'avait perdu. Une fois, il a prétendu avoir été dépouillé par un garde-frontière. Son histoire la plus démente était celle à propos de M. Rawlinson, le président de la banque où il travaillait. M. Rawlinson aurait pris l'argent et lui aurait fait porter le chapeau.

– Est-ce que cela aurait pu se passer comme ça?

– Je ne vois pas comment. M. Rawlinson n'aurait pas coulé sa propre banque. D'ailleurs, depuis, il est dans la dèche. Je le sais parce que quelqu'un de ma famille est à son service.

– Votre ancienne femme?

Il parut surpris.

– Vous avez été là-bas? Est-ce que vous avez parlé un peu avec elle?

– Un peu.

Il se pencha vers moi avec toutes les marques d'un profond intérêt :

– Qu'est-ce qu'elle vous a dit sur moi?

– Nous n'avons pas parlé de vous.

Il eut l'air déçu, comme si une partie de lui-même se trouvait frustrée.

– Je la vois de temps en temps. Je ne lui en veux pas, bien qu'elle ait divorcé quand j'étais en cabane. J'étais pas tellement mécontent, ajouta-t-il placidement. C'est une sang-mêlé, vous l'avez sans doute remarqué. Ça me rabaissait, en quelque sorte, d'être marié avec elle.

– Revenons-en à cet argent. Vous êtes tout à fait certain que Swain l'a pris et qu'il l'a conservé?

– Je le sais. Il l'avait avec lui, chez Conchita. Et il est parti avec.

– Vous avez vu le magot?

– Je connais quelqu'un qui l'a vu.

– Votre fille?

– Non. Et laissez ma fille hors du coup, ajouta-t-il avec une touche d'agressivité. Elle suit le droit chemin.

– Où est-elle?

– Au Mexique. Elle y est allée avec lui et elle n'est jamais revenue.

Il parlait avec un peu trop de faconde et je me demandais si c'était vrai.

– Pourquoi Swain est-il revenu, lui?

– Ma théorie, c'est que c'était prévu depuis le début. Il avait enterré son argent de ce côté de la frontière, il me l'a dit plus d'une fois. Il m'a proposé de m'en donner une part si je m'associais avec lui pour le véhiculer et faire du terrassement. A son

138

retour, il n'était pas en très bonne forme, qu'il disait. En fait, il lui fallait une bonne d'enfant pour s'occuper de lui.

– Et vous avez été sa bonne d'enfant?

– Exact. J'avais une dette de reconnaissance envers lui. Il avait été chouette, Swain, autrefois. Quand j'ai été libéré sur parole, le premier coup, il m'a engagé comme jardinier à San Marino. Un vrai monument que c'était, sa maison. Mes roses, elles étaient grosses comme des dahlias. Finir comme ça, plombé dans un entrepôt de chemin de fer, c'est terrible!

– Avez-vous conduit Swain à Pacific Point en 1954?

– Je l'admets. Mais c'était avant qu'il ne commence à parler d'enlever le gosse. Je ne voulais pas lui servir de chauffeur pour ce truc. Je suis parti à toute vitesse. Je ne voulais pas participer...

– Vous ne l'auriez pas tué avant de partir, par hasard?

Il me regarda d'un air scandalisé.

– On voit que vous me connaissez mal. Je ne suis pas un violent. Ma spécialité, c'est de rester peinard, d'éviter de me retrouver au trou. Et c'est toujours ma règle de conduite.

– Pourquoi avez-vous été arrêté?

– Vol de voitures et cambriolage avec effraction. Mais je n'ai jamais été armé.

– Peut-être que quelqu'un d'autre a abattu Swain et que vous avez brûlé le bout des doigts du cadavre.

– Vous êtes fou! Pourquoi que j'aurais fait ça?

– Pour qu'on ne puisse pas remonter jusqu'à vous. Disons que vous vous êtes emparé de l'argent de la rançon.

– Quelle rançon? Je n'ai jamais vu de rançon.

J'étais revenu ici, à la frontière, quand il a enlevé le petit garçon.

– Eldon Swain avait-il l'habitude d'importuner les enfants?

Il contempla le ciel en plissant des yeux.

– Peut-être bien. Il les aimait jeunes et plus il vieillissait, plus il fallait qu'ils soient jeunes. C'est le sexe qui l'a perdu.

Je ne savais pas si je devais le croire ou pas. Je voyais dans ses yeux sa pensée au travail : une eau trouble perpétuellement agitée par les remous de la peur, de la fabulation et de la cupidité. Il avait vécu en poursuivant désespérément le rêve de la fortune et, maintenant, il était prêt à se conformer à toutes les exigences qu'impliquait la réalisation de ce rêve.

– Où allez-vous aller, à présent, Randy? Au Mexique?

Il resta muet quelques instants, les yeux fixés sur le soleil qui avait accompli la moitié de sa course vers l'ouest. Un jet de la Marine survola la plaine, semblable à une hirondelle qui eût fait autant de vacarme qu'un train de marchandises. Shepherd le suivit du regard jusqu'à ce qu'il fût hors de vue, comme si c'était sa dernière chance qui s'évanouissait.

– Je préfère ne pas vous le dire. Si on a besoin de se rencontrer à nouveau, je vous ferai signe. Mais tâchez à voir à ne pas me faire de coups fourrés. Vous m'avez vu chez Mlle Jean. Alors, on est dans le même bain, tous les deux.

– Pas tout à fait, mais je ne ferai rien contre vous s'il n'y a pas de raison.

– Il n'y en aura pas. Je suis innocent comme un agneau sans tache. Et puis, vous êtes un Blanc, ajouta-t-il, m'admettant ainsi à partager l'unique et douteux mérite dont il pouvait se targuer. Vous ne pourriez pas me donner un peu d'argent de poche?

Je lui fis cadeau de cinquante dollars et il parut satisfait. Après que je lui eus indiqué mes coordonnées, il prit sa couverture, descendit et resta planté sur le bas-côté. Bientôt, je ne le vis plus dans mon rétroviseur.

Je regagnai le lotissement. Mme Williams était encore en train de briquer le bungalow où Shepherd avait logé. Quand j'entrai, elle leva les yeux, le balai à la main, agréablement surprise.

– Je ne pensais pas que vous reviendriez. Vous ne l'avez pas trouvé, n'est-ce pas?

– Si. Nous avons bavardé.

– Randy a toujours été un grand causeur.

Elle gagnait du temps, ne voulant pas me réclamer de but en blanc le reste de l'argent que je lui avais promis. Je lui tendis un billet de cinquante dollars, qu'elle saisit délicatement entre le pouce et l'index comme si c'était un papillon rare et glissa dans son corsage.

– Je vous remercie infiniment. Je saurai quoi faire de cet argent. Je suppose que vous comprenez?

– Je comprends. Puis-je vous demander d'autres renseignements, madame Williams?

Elle sourit.

– Tout ce que vous voudrez en dehors de mon âge.

Elle s'assit sur le matelas à la toile rayée. Le lit grinça et ploya sous son poids. Je m'installai sur l'unique chaise de la pièce. Un rai de soleil frémissant d'une poussière lumineuse entrait par la fenêtre, formant une tache éclatante sur le lino usé entre nous deux.

– Que voulez-vous savoir, monsieur Archer?

– Il y a longtemps que Shepherd était votre locataire?

– Il vient de temps en temps depuis la fin de la guerre. Quand il a vraiment faim, il se loue pour la cueillette des fruits. Ou bien il se fait quelques dollars en enlevant les mauvaises herbes dans un jardin. Il a été jardinier, dans le temps.

– Je sais, il m'a dit qu'il avait travaillé au service d'un certain M. Swain à San Marino. Vous a-t-il parlé d'Eldon Swain?

– Vous voulez que je vous raconte la vérité vraie, comme disent les enfants?

– S'il vous plaît.

– Cela ne vous donnera pas une image très favorable de moi. L'ennui, dans ce métier, c'est que, pour gagner de l'argent, on fait des choses qu'on n'aurait jamais eu l'idée de faire quand on était jeune et innocente. Les gens font n'importe quoi pour l'argent.

– Je sais. Où voulez-vous en venir?

– Eldon Swain a habité ici avec sa petite amie, fit-elle sur un débit pressé et monotone comme pour minimiser sa compromission. C'était la fille de Randy Shepherd. Et c'est pour cela qu'il est venu ici.

– Quand?

– Laissez-moi réfléchir. C'était juste avant cette sombre histoire de trésor enterré, lorsque M. Swain est parti pour le Mexique. Je n'ai guère la mémoire des dates, mais ce devait être à peu près vers la fin de la guerre... pendant la bataille d'Okinawa, reprit-elle après un instant de silence. On s'intéressait aux batailles, tous les deux, Williams et moi, parce que beaucoup de nos locataires étaient marins.

Je la ramenai au sujet:

– Que s'est-il passé quand Shepherd est arrivé?

– Pas grand-chose. Surtout des criailleries. Je n'ai

142

pu faire autrement que de surprendre quelques-unes de leurs disputes. Randy voulait de l'argent en échange de sa fille. Il était comme ça.

– Quel genre de personne était sa fille?

– C'était une enfant ravissante. (Une tendresse de proxénète quasi maternelle embua le regard de Mme Williams.) Très brune et si jeune! Il est difficile d'admettre qu'une fille comme ça ait pu se coller avec un homme deux fois plus âgé qu'elle. (Elle changea de position et les ressorts fatigués du lit grincèrent péniblement.) Je suis convaincue qu'elle voulait sa part du magot.

– Vous disiez que c'était avant cette histoire de trésor?

– Oui, mais Swain avait déjà préparé sa combine.

– Comment le savez-vous?

– Ce sont les policiers qui me l'ont dit. Ils se sont abattus ici comme des sauterelles huit jours après qu'il eut pris la fuite. D'après eux, il y avait au moins un an qu'il fignolait son coup. Il a choisi mon établissement comme dernier point de chute avant de passer au Mexique.

– Comment a-t-il franchi la frontière?

– On ne l'a jamais su. Peut-être qu'il a escaladé le grillage, peut-être qu'il l'a traversée normalement sous un autre nom. Plusieurs enquêteurs pensaient qu'il avait caché l'argent quelque part avant de disparaître. C'est sans doute ce qui a donné des idées à Randy.

– Qu'est devenue la fille?

– Personne ne le sait.

– Pas même son père?

– Pas même lui. Randy Shepherd n'est pas le genre de père auquel une jeune fille a envie de se confier si elle peut faire autrement. Pareil pour sa femme. Elle a obtenu le divorce la dernière fois qu'il a fait un stage en prison. A sa sortie, il est revenu ici. Depuis, il réapparaît de temps à autre.

Nous restâmes silencieux quelques instants. Sur le lino, le rectangle lumineux s'allongeait de façon perceptible, reflétant l'écoulement du temps et le mouvement de la terre.

Enfin, Mme Williams reprit la parole :

– Est-ce que vous croyez que Randy reviendra?

– Je l'ignore. Je l'espère un peu.

– Il y a beaucoup de choses à dire contre lui mais, à mesure que le temps passe, on s'habitue à la présence d'un homme. Quel que soit cet homme...

– D'ailleurs, c'était votre avant-dernier locataire.

– Comment le savez-vous?

– C'est vous qui me l'avez dit.

– Ah bon? Si je trouvais un acheteur, je vendrais.

Je me levai et me dirigeai vers la porte.

– Ce dernier locataire, qui était-ce?

– Vous ne le connaissez pas.

– Dites quand même.

– Un jeune homme du nom de Sidney Harrow. Et je ne l'ai pas revu depuis huit jours. Il est parti à la chasse aux chimères comme Randy Shepherd.

Je lui montrai la photo de promotion de Nick.

– Shepherd a-t-il donné cette photo à Harrow, madame Williams?

– Ce n'est pas impossible. Il me l'a fait voir, je m'en souviens. Il voulait savoir si elle me rappelait quelqu'un.

– Et elle vous a rappelé quelqu'un?

– Non. Je n'ai pas tellement la mémoire des visages.

144

20

De retour à San Diego, je pris par Bayview Avenue pour passer devant la maison de George Trask. Le soleil venait de se coucher et tout était rougeâtre, comme si le sang répandu dans la cuisine s'était dilué dans la lumière. Une auto que j'avais déjà vue sans pouvoir me rappeler où – une Volkswagen noire au pare-chocs cabossé – stationnait dans l'allée et une autre, une voiture de police, était rangée au bord du trottoir. Je continuai ma route en direction de l'hôpital.

Au bureau, on me dit que Nick était au 211, au second.

– Mais, ajouta l'hôtesse d'accueil, il n'a pas le droit de recevoir de visites en dehors de ses proches.

Je montai quand même. Mme Smitheram était dans la salle d'attente en train de lire un magazine. Un manteau soigneusement plié à l'envers était posé sur le dossier de sa chaise. Je ne sais pourquoi, je fus très heureux de la voir. Je m'assis à côté d'elle.

Réflexion faite, ce magazine, elle ne le lisait pas. Elle le tenait à la main, tout simplement. Elle me regardait sans me voir. Ses yeux bleus, perdus dans un rêve intérieur, conféraient à son visage une sorte de beauté grave. Leur lumière se modifia peu à peu à mesure qu'elle prenait conscience de ma présence. Finalement, elle me remit.

– Monsieur Archer!

– Moi non plus, je ne m'attendais pas à vous rencontrer.

– Je suis venue pour le plaisir du voyage. J'ai

habité San Diego plusieurs années pendant la guerre. Je n'y avais pas remis les pieds depuis.

– Cela fait un bon moment.

Elle inclina la tête.

– C'était justement à quoi je pensais. Tout change. Mais ma biographie ne vous intéresse pas.

– Si, justement. Etiez-vous déjà mariée, à l'époque?

– Oui, en un sens. Mais mon mari était presque tout le temps en mer. Il servait comme médecin à bord d'un porte-avions d'escorte.

Il y avait, dans sa voix, une amère fierté qui paraissait exclusivement appartenir au passé.

– Vous ne paraissez pas votre âge.

– Je me suis mariée jeune. Trop jeune.

Cette femme me plaisait et j'étais heureux de pouvoir, pour une fois, parler d'autre chose que de l'affaire pour laquelle j'étais là. Mais ce fut elle qui ramena la conversation sur ce sujet :

– Aux dernières nouvelles, Nick s'en sortira. Mais dans quel état? Toute la question est là.

– Qu'en pense votre mari?

– Il est encore trop tôt pour que Ralph se prononce. Il se trouve actuellement en consultation avec un neurologue et un chirurgien du cerveau.

– Un chirurgien du cerveau pour un empoisonnement par barbituriques?

– Il ne s'agit, hélas, pas seulement de cela. Nick souffre aussi d'un traumatisme crânien. Il est sans doute tombé et le choc a porté sur la tête.

– A moins qu'il n'ait été frappé?

– C'est également possible. Au fait, comment est-il venu à San Diego?

– Je ne sais pas.

– Mon mari m'a dit que vous l'avez conduit à l'hôpital.

146

– C'est exact, mais ce n'est pas moi qui l'ai amené à San Diego.

– Où l'avez-vous trouvé?

Je gardai le silence.

– Vous ne voulez pas me le dire?

– Non. Ses parents sont-ils là? demandai-je, changeant de sujet sans beaucoup de finesse.

– Sa mère est avec lui et son père est en route. Ni vous ni moi ne pouvons rien faire.

Je me levai.

– Si. Nous pouvons toujours dîner.

– Où?

– A la cafétéria de l'hôpital, si vous voulez. Ce n'est pas mauvais.

Elle fit une grimace.

– Les repas à la cafétéria, j'en ai largement mon compte depuis le temps.

– J'avais pensé que vous préféreriez peut-être ne pas aller trop loin.

Nous fûmes l'un et l'autre sensibles au double sens que contenait ma phrase.

– Pourquoi pas? répondit-elle. Ralph en a encore pour des heures. Si nous allions à La Jolla?

– C'était là que vous résidiez pendant la guerre?

– On ne peut rien vous cacher.

Je l'aidai à enfiler son manteau, un vison bleu qui s'harmonisait aux giclées d'argent zébrant ses cheveux.

– Mais à une condition, fit-elle dans l'ascenseur. Vous ne me poserez aucune question sur Nick ni sur son entourage. Tout comme vous, je ne peux pas répondre à certaines questions. Alors, à quoi bon gâcher les choses?

– Je ne gâcherai rien, madame Smitheram.

– Je m'appelle Moira.

Elle était née à Chicago, m'apprit-elle pendant

que nous dînions, et avait fait des études pour devenir assistante médicale spécialisée dans la psychiatrie au Michigan Hospital. C'était là qu'elle avait fait la connaissance de Ralph Smitheram qui était alors interne. Elle l'avait épousé. Mobilisé dans la Marine, il avait été affecté à l'hôpital naval de San Diego et elle l'avait suivi en Californie.

– Nous habitions un petit hôtel à La Jolla. Un peu délabré mais je l'aimais bien. J'ai envie d'aller voir s'il est toujours là quand nous aurons fini.

– Pourquoi pas?

– J'ai pris un risque en revenant. Je veux dire... vous ne pouvez pas savoir comme c'était beau. Je n'avais jamais vu l'océan. Quand nous descendions sur la plage, très tôt le matin, j'avais l'impression d'être Eve au paradis terrestre. Tout était pur, neuf et simple. Ce n'est pas comme à présent.

Et, d'un mouvement de la main, elle chassa tout ce qui nous entourait – le pesant décor pseudo-hawaiien, les garçons noirs en uniforme, la musique en conserve, la sauce qui accompagnait le chateaubriand « pour deux personnes » (15 dollars).

– Le quartier a bien changé, dis-je.

– Vous rappelez-vous La Jolla dans les années 40?

– Et aussi dans les années 30. En ce temps-là, je vivais à Long Beach. Nous venions faire du surf ici et à San Onofre.

– Ce « nous » se réfère-t-il à vous et à votre femme?

– Non, à mes copains. Le surf n'intéressait pas ma femme.

– Vous vous exprimez au passé?

– C'est que c'est de l'histoire ancienne. Nous avons divorcé... dans les années 40, justement. Je ne lui en veux pas. Elle avait envie d'une vie tranquille et d'un mari sur la présence duquel elle aurait pu compter.

Moira accueillit ces vieilles nouvelles en silence. Quelques secondes s'écoulèrent, puis elle murmura à moitié comme si elle se parlait à elle-même :

– Je regrette de n'avoir pas demandé le divorce à cette époque. (Son regard se vrilla au mien.) Que désiriez-vous, vous, Archer?

– Cela.

– Quoi? Etre en ma compagnie?

Je me dis *in petto* qu'elle n'était plus à l'âge du marivaudage et, brusquement, je me rendis compte qu'elle se moquait un peu de moi.

– Je ne crois pas que je mérite l'effort de toute une vie!

– La vie apporte sa propre récompense, rétorquai-je. J'aime pénétrer dans l'existence des gens et en ressortir. Vivre toujours avec les mêmes personnes au même endroit, ça me barbe.

– Ce n'est pas là votre véritable motivation. Vous faites partie d'une catégorie d'individus que je connais bien. Vous nourrissez une passion secrète pour la justice. Pourquoi ne pas l'admettre?

– J'ai une passion secrète pour la pitié. Mais c'est à la justice que sont confrontés les hommes.

Elle se pencha vers moi avec une malice toute féminine à laquelle une certaine animation sensuelle n'était pas étrangère.

– Savez-vous ce qui vous pend au nez, Lew Archer? Vous vieillirez et vous finirez à bout de souffle. Est-ce que ce sera juste?

– Je mourrai d'abord et ce sera miséricorde.

– Vous manquez terriblement de maturité.

– Terriblement.

– Vous n'êtes pas en colère contre moi?

– L'hostilité me met en colère, mais vous n'êtes pas hostile. Au contraire! Vous avez le complexe de l'infirmière. Vous voulez me persuader de me remarier avant que je ne sois trop décati, sinon il n'y aura personne pour s'occuper de moi quand je serai bon pour la réforme!

– Vous alors! s'exclama-t-elle rageusement avec une véhémence qui se mua en rire.

Après dîner, laissant ma voiture au parking, nous descendîmes à pied la grande rue en direction de la mer. La marée était haute et l'on entendait le ressac mugir et battre en retraite, lion de mer épouvanté par le son de sa propre voix.

Arrivés à la dernière dénivellation, nous prîmes à droite et, longeant un immeuble de bureaux flambant neufs de je ne sais combien d'étages, nous nous dirigeâmes vers le motel qui se dressait à l'angle de la rue suivante. Moira s'arrêta.

– Je croyais que c'était ce coin-là, mais j'ai dû me tromper. Je ne me souviens d'aucun motel. Mais si! reprit-elle, comprenant son erreur. C'est bien cet angle de rues, n'est-ce pas? Ils ont rasé le vieil hôtel et construit ce motel à sa place.

Sa voix vibrait d'émotion comme si une partie de son passé avait été anéanti, lui aussi, sous la pioche des démolisseurs.

– N'était-ce pas le *Magnolia Hotel*?

– Si! Le *Magnolia*... Vous y avez habité également?

– Non, mais il me semble qu'il a eu une grosse importance pour vous.

– Oui. Et il continue d'en avoir. J'y ai vécu deux ans quand Ralph était en mer. J'ai l'impression, maintenant, que cela a été le chapitre le plus réel de mon existence. Je n'en ai jamais parlé à personne.

– Pas même à votre époux?

– A Ralph? Certainement pas! s'écria-t-elle sur un ton cassant. Quand on lui dit quelque chose, il n'entend pas. Il entend les raisons qui vous font

dire ceci ou cela – ou ce qu'il juge être vos raisons –
il entend une partie de ce qu'elles impliquent. Mais
le sens manifeste, total lui échappe. Ce sont les
risques du métier quand on est psychiatre.

– Vous en voulez à votre mari?

– Nous y voilà! (Néanmoins elle continua :) Oui,
je lui en veux profondément, et je m'en veux à moi
aussi. Et ce n'est pas d'aujourd'hui que cela me
travaille.

Elle s'était remise en marche, m'entraînant vers la
mer, tournant le dos au carrefour illuminé. Des
halos d'embrun phosphorescent nimbaient les rares
réverbères. Le parc public et le chemin qui suivait
le front de mer étaient pratiquement déserts.

– Au début, je m'en voulais d'avoir fait ce que
j'avais fait, poursuivit-elle tout en marchant. Je
n'avais que dix-neuf ans et le complexe de culpabilité classique de l'adolescence me rongeait. Plus
tard, je m'en suis voulu de ne pas avoir été jusqu'au
bout.

– Cela manque un peu de clarté.

Elle releva le col de son manteau pour se protéger des embruns et me toisa, tel un desperado au
visage à demi masqué.

– Je n'ai pas l'intention d'être plus claire.

– J'avais cru le contraire.

– A quoi bon? C'est fini. Entièrement fini. Ce
n'est que du passé, fit-elle dans un murmure déchi-
rant.

Elle s'éloigna d'un pas vif. Je la suivis. C'était à
présent une âme en peine, une femme qui n'était
plus de la première jeunesse s'efforçant de trouver
une continuité dans sa propre vie. Le chemin était
étroit et sombre, et il eût été facile de tomber par
accident ou de propos délibéré sur les rochers au
tumulte d'écume.

Je la rejoignis sur la grève, pôle physique de ce

passé auquel elle avait fait allusion. La déchiqueture blanche des vagues montait à l'assaut de la plage. Otant ses souliers, Moira descendit les marches et je lui emboîtai le pas.

Nous étions debout juste à la limite du flot.

– Viens me chercher, dit-elle.

A la mer, à moi ou à quelqu'un d'autre.

– Etiez-vous amoureuse d'un homme qui est mort pendant la guerre?

– Ce n'était pas un homme. Rien qu'un jeune garçon qui travaillait à la poste.

– C'était lui qui vous accompagnait quand vous veniez sur la plage et que vous vous sentiez comme Eve au paradis terrestre?

– C'était lui. Je me sens encore coupable. Je vivais avec quelqu'un d'autre alors que Ralph défendait son pays au loin. (Une note sarcastique tintait dans sa voix chaque fois qu'elle parlait de son mari.) Il m'écrivait de longues lettres remplies d'égards, mais cela ne changeait rien. En fait, je voulais le dégonfler comme une baudruche. Il avait une telle confiance outrecuidante en lui, c'était un monsieur je-sais-tout... Vous ne me trouvez pas un peu folle?

– Non.

– Sonny l'était, vous savez. Et pas qu'un peu.

– Sonny?

– Le garçon avec lequel je vivais au *Magnolia*. Ralph le soignait et c'est ainsi que nous nous sommes connus. Mon mari m'avait demandé de le surveiller. Quelle ironie, n'est-ce pas?

– Arrêtez, Moira. Vous cherchez vraiment les complications.

– Il y a des gens qui les cherchent et d'autres qui les reçoivent sur la tête comme des tuiles. Si seulement je pouvais remonter le temps pour modifier un certain nombre de choses...

152

– Que changeriez-vous?

– Je ne sais pas très bien, fit-elle d'un ton morne. Cessons de parler de cela.

Elle s'éloigna. Ses pieds nus laissaient des empreintes étranglées dans le sable. J'admirai la grâce de ses mouvements, mais elle revint vers moi d'une allure gauche. Marchant à reculons, elle essayait, mais en vain, de remettre ses pas dans ses propres traces.

Elle me heurta, se retourna, et sa poitrine, sous la fourrure, m'effleura le bras. Je la pris par la taille. Ses joues étaient humides de larmes ou d'écume. En tout cas, elles avaient un goût de sel.

21

Nous regagnâmes la voiture. La grande rue, éclairée *a giorno*, était tranquille. Toutes les étoiles étaient là, en bon ordre et très proches. Pour autant que je me le rappelle, je ne vis personne avant d'entrer dans un bar pour téléphoner à George Trask.

– Ici la résidence Trask, répondit-il aussitôt d'une voix larmoyante et élimée.

Je lui répondis que j'étais un détective et que je voulais lui parler de sa femme.

– Elle est morte.

– Je compatis à votre douleur mais est-ce que je peux passer et vous poser quelques questions?

– Si vous voulez.

C'était la voix d'un homme pour qui le temps a cessé de compter.

Moira m'attendait dans l'auto tel un chat argenté dans une grotte.

– Voulez-vous que je vous dépose à la clinique? J'ai une course à faire.

– Emmenez-moi.

– Ce ne sera pas très agréable.

– Cela m'est égal.

– Cela ne vous sera pas égal si vous brisez votre vie et finissez par vous retrouver en tête-à-tête avec moi. Si vous saviez le nombre de soirées que je passe à ce genre de corvées!

Elle pressa mon genou.

– Je sais que je risque d'y laisser des plumes. Je me suis déjà rendue vulnérable. Mais j'en ai assez d'agir en tout comme une professionnelle pour des raisons de prudence.

A Bayview Avenue, la voiture de police n'était plus là, mais la Volkswagen noire au pare-chocs amoché était toujours dans l'allée de George Trask. Je me rappelai brusquement où je l'avais vue pour la première fois : à Pasadena, sous l'auvent rouillé de Mme Swain.

Je frappai à la porte. Trask vint ouvrir. Toujours aussi dégingandé, il portait un costume et une cravate noirs. Tiré à quatre épingles, il donnait l'impression de s'être plié à la situation tout comme un entrepreneur de pompes funèbres. Seuls ses yeux rouges et le fait qu'il ne se souvenait pas de moi trahissaient son bouleversement.

– Je vous présente Mme Smitheram, monsieur Trask. Elle est assistante médicale... psychiatre.

– C'est très aimable de votre part d'être venue, lui dit-il, mais je n'ai pas besoin de vos services. J'ai suffisamment d'empire sur moi pour dominer les circonstances. Voulez-vous passer au salon? Je vous aurais bien proposé de vous faire du café, mais je n'ai pas le droit d'entrer dans la cuisine. D'ailleurs, poursuivit-il comme si quelqu'un d'autre parlait par

154

sa bouche, d'ailleurs, la cafetière s'est cassée quand on a assassiné ma femme.

– Je vous présente toutes mes condoléances, murmura Moira.

Nous le suivîmes dans le salon et nous assîmes côte à côte en face de lui. Les rideaux étaient entrouverts et je voyais danser sur la mer le reflet des lumières de la ville. La beauté du spectacle et de ma compagne me rendaient encore plus sensible la douleur de George Trask, claquemuré dans sa solitude comme dans un cachot.

– Ils ont été très compréhensifs, au bureau, enchaîna-t-il sur le ton de la conversation mondaine. Ils m'ont accordé un congé illimité à salaire plein. Cela me permettra de retomber sur mes pieds, n'est-ce pas?

– Savez-vous qui a tué votre femme?

– Il y a un suspect sérieux. Un individu possédant des antécédents criminels longs comme le bras. Il connaissait Jean depuis toujours. Mais la police m'a demandé de ne pas citer son nom.

Il devait s'agir de Randy Shepherd.

– A-t-il été arrêté?

– La police compte bien mettre la main sur lui cette nuit. J'espère qu'elle y arrivera et, une fois qu'elle l'aura capturé, qu'elle l'expédiera à la chambre à gaz. Vous savez comme moi pourquoi le crime et la violence se déchaînent avec cette frénésie. Les tribunaux ne condamnent pas les coupables et, quand ils les condamnent, les meurtriers s'en tirent avec une peine de prison. Les rares fois où ils sont condamnés à mort, on triche avec la loi. On rencontre dans la rue des assassins en liberté, on ne gaze plus personne. Et l'on s'étonne qu'il y ait tant de désordres!

Ses yeux écarquillés étaient fixes comme s'il contemplait une vision de chaos.

Moira se leva et posa la main sur son front.

— Ne parlez pas tant, monsieur Trask. Cela vous agite.

— Je sais. Je n'ai pas arrêté de parler de toute la journée.

Il cacha son visage enflammé derrière sa main. Entre ses doigts, ses yeux luisaient comme des pièces de monnaie. Il continua d'une voix aussi sonore dont on eût dit qu'elle échappait à sa volonté :

— Cette ordure mérite de passer à la chambre à gaz, même s'il n'est pas directement responsable de la mort de ma femme. C'est lui qui l'a poussée à se lancer à la recherche de son père. Une entreprise insensée! Il est venu la semaine dernière, plein de projets et de racontars. Il savait soi-disant où était son père et il lui assurait qu'elle pourrait le rejoindre. Et c'est bien ce qui s'est passé, conclut-il sur un ton haché. Son père est dans la tombe... Et elle aussi, à présent!

Il éclata en sanglots et Moira s'efforça de le consoler avec des exclamations plus qu'avec des mots.

Un peu plus tard, je m'aperçus que Louise Swain était debout sur le seuil de la porte d'entrée, semblable au fantôme vermoulu de sa fille. Je la rejoignis.

— Comment allez-vous, madame Swain?

— Pas trop bien. Elle se passa la main sur le front.

— Nous ne nous sommes jamais entendues, cette pauvre Jean et moi – c'était la fille de son père – mais chacune se faisait du souci pour l'autre. Maintenant, je n'ai plus personne. (Elle secoua la tête de droite à gauche.) Elle aurait dû m'écouter. Je savais bien qu'elle allait au-devant de nouveaux ennuis, et j'ai tout fait pour la mettre en garde.

– A quel genre d'ennuis faites-vous allusion?

– Des ennuis de toute sorte. C'était mauvais pour elle de plonger dans le passé, de s'imaginer que son père était vivant. Et c'était dangereux. Eldon était un criminel qui fréquentait des criminels. L'un d'eux l'a tuée parce qu'elle avait découvert quelque chose.

– Comment le savez-vous, madame Swain?

– C'est mon intuition qui me le dit. N'oubliez pas qu'il y a des centaines de milliers de dollars en jeu. Pour une somme pareille, n'importe qui est prêt à assassiner son prochain. (Elle cligna des paupières comme éblouie par une vive lumière.) Pour cela, un homme n'hésiterait même pas à assassiner sa propre fille.

Je la poussai à l'écart pour que l'on ne nous entendît pas du salon.

– Pensez-vous que votre mari pourrait être encore vivant?

– Oui. Jean le croyait. Rien n'arrive jamais sans raison. J'ai entendu dire que certaines personnes se sont fait opérer pour changer de visage afin de pouvoir aller et venir librement.

Ses yeux mi-clos me scrutèrent comme si elle cherchait sur ma figure des cicatrices qui lui eussent confirmé que j'étais Eldon Swain.

« Il y a aussi des hommes qui disparaissent en laissant à leur place des cadavres qui leur ressemblent » me dis-je.

– Madame Swain, un homme a été abattu à Pacific Point il y a quinze ans, à l'époque où votre mari est rentré du Mexique. On a supposé que c'était lui, mais l'identification n'a pas été positive. Elle se fondait sur des photographies loin d'être parfaites. Celle, entre autres, que vous m'avez confiée hier soir.

Elle me dévisagea avec effarement.

– C'était seulement hier soir?

– Oui. Je sais ce que vous éprouvez. Vous m'avez dit à cette occasion que votre fille avait pris vos meilleures photos de famille et vous avez également parlé de films d'amateur. Ils pourraient être utiles pour l'enquête.

– Je vois.

– Ces documents sont-ils ici?

– Une partie d'entre eux, tout au moins. Je viens de jeter un coup d'œil. (Elle me montra ses mains.) C'est pour ça que mes doigts sont pleins de poussière.

– Puis-je examiner ces photos, madame Swain?

– Cela dépend.

– De quoi?

– De ce que vous êtes prêt à payer. Je ne vois pas pourquoi je vous ferais des cadeaux.

– Ces photographies peuvent être des indices permettant de retrouver le meurtrier de votre fille.

– Je m'en moque! s'écria-t-elle. Elles sont tout ce qui me reste, tout ce qui subsiste de ma vie. Si quelqu'un les veut, il n'a qu'à payer. Comme moi. Je n'ai jamais eu rien sans rien. Vous pouvez répéter cela à M. Truttwell.

– Qu'est-ce qu'il vient faire dans cette histoire?

– Vous travaillez pour lui, n'est-ce pas? Je me suis informée auprès de mon père. Il m'a répondu que Truttwell a largement les moyens de payer!

– Combien demandez-vous?

– Qu'il fasse une offre. A propos, j'ai retrouvé la cassette dont vous m'avez parlé... le coffret florentin de ma mère.

– Où était-il?

– Cela ne vous regarde pas. L'essentiel, c'est qu'il est en ma possession et qu'il est à vendre, lui aussi.

– Il appartenait vraiment à votre mère?

– Bien sûr! J'ai découvert où il était passé après sa mort. Mon père l'avait donné à une autre femme. Il a refusé de l'admettre, hier, quand je lui ai posé la question. Mais j'ai fini par le forcer à avouer.

– Qui était cette femme? Estelle Chalmers?

– Ah bon? Vous êtes au courant de leur liaison? Tout le monde l'est, j'imagine. Il a eu le culot de lui donner le coffret à bijoux de ma mère qui, en principe, aurait dû revenir à Jean.

– Pourquoi ce coffret a-t-il tant d'importance, madame Swain?

Elle réfléchit quelques instants.

– J'imagine qu'il symbolise tout ce qui s'est produit dans la famille. Notre existence est partie à vau-l'eau. Notre argent, nos meubles et même les petits bibelots que nous avions ont fini en d'autres mains. (Elle médita encore quelques secondes avant d'enchaîner :) Je me rappelle que ma mère laissait Jean jouer avec son coffret quand elle était petite. Elle lui racontait l'histoire de la boîte de Pandore. Vous la connaissez? Jean et ses amies faisaient semblant de croire que c'était la boîte de Pandore. En soulevant le couvercle, on laissait s'échapper tous les diables de la création.

Elle se tut comme pétrifiée par cette perspective.

– J'aimerais voir le coffret et les photos.

– Pas question! C'est ma dernière chance de me constituer un petit capital. Sans capital, on n'est rien, on n'existe pas. Je ne vous laisserai pas me dépouiller de ma dernière chance.

Elle paraissait déborder de colère, mais ce n'était sans doute que de la peine. Elle avait posé le pied sur une planche pourrie, le plancher s'était effondré sous elle et elle savait qu'elle était désormais condamnée à la pauvreté à perpétuité. Le rêve qu'elle défendait n'était pas en prise sur l'avenir : ce n'était

159

que le souvenir du passé, le souvenir de l'époque où elle vivait à San Marino avec un mari qui avait réussi et une piscine de douze mètres de long.

Je lui promis de transmettre ses conditions à Truttwell et lui conseillai de faire très attention au coffret et aux photos. Puis nous prîmes congé de George Trask, Moira et moi, et regagnâmes la voiture.

– Pauvres gens! murmura Moira.

– Votre présence a été utile.

– J'aimerais le croire. Je sais que certaines questions ne doivent pas être abordées, reprit-elle après une pause, mais je vais quand même vous en poser une. Vous n'êtes pas obligé de répondre.

– Allez-y.

– Est-ce dans les environs que vous avez retrouvé Nick tout à l'heure?

Mon hésitation fut brève. Elle était mariée à un homme exerçant une profession dont les règles n'étaient pas les mêmes que celles de la mienne.

– Non, répondis-je purement et simplement. Pourquoi me demandez-vous cela?

– M. Trask m'a dit que sa femme était en rapport avec Nick. Il ignorait son nom mais le signalement qu'il m'a donné de lui cadre exactement. Il semble qu'il les avait vus ensemble à Pacific Point.

– Ils y ont passé quelque temps, fis-je laconiquement.

– Etait-elle sa maîtresse?

– Je n'ai pas de raison de le penser. Les Trask et Nick constituent un triangle fort improbable.

– J'en ai vu de plus improbables encore.

– Qu'insinuez-vous? Que c'est Nick qui a tué Mme Trask?

– Absolument pas! Si je le pensais, je n'aurais rien dit. Il y a quinze ans que nous soignons Nick.

160

– Depuis 1954?

– Oui.

– Que lui est-il arrivé cette année-là?

– Il est tombé malade, fit-elle posément. Mais il ne m'est pas possible de vous préciser la nature de son affection. J'ai déjà été trop bavarde.

Nous étions presque revenus à notre point de départ. Pas tout à fait, cependant. Tandis que nous roulions en direction de l'hôpital, je sentais le corps de Moira peser sur moi, timidement, légèrement.

22

Moira me lâcha à l'entrée de l'hôpital pour aller se faire une beauté, selon son expression. Je montai au second étage et trouvai les parents de Nick dans la salle d'attente. Chalmers, affalé dans un fauteuil, était en train de ronfler. Sa femme, vêtue d'un élégant ensemble noir, était assise à côté de lui.

– Madame Chalmers...

Elle mit le doigt sur ses lèvres, se leva et s'approcha de la porte.

– C'est la première fois que Larry prend un peu de repos, me dit-elle dans le couloir. Nous vous sommes infiniment reconnaissants d'avoir retrouvé Nick.

– J'espère n'être pas arrivé trop tard.

– Non, fit-elle avec un pâle sourire. Le Dr Smitheram et ses confrères sont très encourageants. Il paraît que Nick a resti... (elle trébucha sur le mot)... qu'il a rendu une partie des comprimés avant qu'ils n'aient eu le temps de faire leur effet.

– Et sa commotion?

– Je ne pense pas que ce soit trop grave. Savez-vous comment cela a pu se produire?

– Il est tombé ou a été assommé.

– Par qui?

– Je l'ignore.

– Où l'avez-vous retrouvé, monsieur Archer?

– Ici... à San Diego.

– Mais à quel endroit?

– Je préférerais laisser à M. Truttwell la primeur de mes renseignements.

– Il n'est pas là. Il a refusé de venir sous prétexte qu'il avait à s'occuper d'autres clients. (La colère perçait dans son ton.) S'il se figure qu'il peut nous laisser tomber de cette façon, il s'en repentira.

– Il n'en a aucune intention, j'en suis convaincu. Mais puisqu'il n'est pas là, je dois sans doute vous dire que j'ai eu un entretien avec une certaine Mme Swain, la mère de Jean Trask. Elle possède des photos de famille que j'aimerais bien examiner, mais elle réclame de l'argent en échange.

– Combien?

– Une forte somme. Je pense pouvoir obtenir son consentement moyennant... disons un millier de dollars.

– C'est absurde! Cette femme est folle!

Je n'insistai point. Des infirmières ne cessaient d'aller et de venir. Elles connaissaient déjà Mme Chalmers, à qui elles souriaient en hochant la tête et en scrutant avec curiosité ses yeux noirs et flamboyants. Mon interlocutrice prit une profonde aspiration et se ressaisit.

– J'exige que vous me disiez où vous avez découvert Nick. S'il a été victime d'une lâche agression...

Je l'arrêtai net dans son élan:

– A votre place, madame Chalmers, je renoncerais à cette comédie.

162

– Que voulez-vous dire?

– Faisons quelques pas, voulez-vous?

Tout en déambulant le long d'un corridor après avoir longé des bureaux fermés, je lui expliquai en détail où j'avais retrouvé son fils – dans le garage attenant à la cuisine où Jean Trask gisait, assassinée. Elle s'adossa au mur blanc, la tête ballottante comme si je l'avais giflée en pleine face. Son ombre raccourcie était celle d'une vieille femme recroquevillée.

– Vous pensez qu'il l'a tuée, n'est-ce pas?

– Il y a d'autres possibilités, mais je me suis gardé de les soumettre à la police pour des raisons évidentes.

– Vous n'en avez parlé à personne en dehors de moi?

– A personne jusqu'à présent.

Elle se redressa et, plaquant ses mains au mur, se décolla de celui-ci.

– Tenez-vous-en à cette ligne de conduite. N'en parlez pas à John Truttwell. Il en veut à Nick à cause de Betty. Et pas davantage à mon mari : il est à bout de nerfs et ne supporterait pas le choc.

– Mais vous, vous pouvez le supporter?

– Il le faut bien.

Elle resta silencieuse quelques instants, mettant de l'ordre dans ses pensées.

– Il y a d'autres possibilités, disiez-vous?

– Oui. On peut, par exemple, supposer que votre fils a été victime d'une machination. Que l'assassin l'a trouvé drogué et l'a transporté dans le garage pour en faire un bouc émissaire. Mais il ne sera pas facile de faire avaler cela à la police.

– Est-il indispensable de la mettre au courant?

– C'est déjà fait. Tout le problème est de savoir ce qu'on peut lui dire et, pour cela, nous avons besoin de l'avis d'un juriste.

– Quelles sont les autres possibilités auxquelles vous faisiez allusion? fit-elle, pressante.

– J'ai pensé à une seconde hypothèse et nous allons y venir dans un instant.

Je sortis de mon portefeuille le message que Nick avait rédigé avant de tenter de se suicider.

– Est-ce l'écriture de votre fils?

Elle approcha le papier de la lumière.

– Oui. Cela signifie qu'il est coupable, n'est-ce pas?

Je récupérai le feuillet.

– Cela signifie qu'il s'estime coupable de quelque chose. Peut-être a-t-il heurté le corps de Mme Trask et a-t-il eu une réaction de culpabilité dévastatrice. C'est la seconde hypothèse qui m'est venue à l'esprit. Mais je ne suis pas psychiatre et je voudrais que vous m'autorisiez à en discuter avec le Dr Smitheram.

– Non! Pas même avec Smitheram!

– N'avez-vous pas confiance en lui?

– Il n'en sait déjà que trop sur le compte de Nick. On ne peut faire confiance à personne, vous ne le savez donc pas?

– Non, justement. J'espérais que, au point où nous en sommes, les personnes ayant une responsabilité envers Nick pourraient parler franchement entre elles. Jusqu'à présent, la politique du silence n'a pas donné de tellement bons résultats.

Elle m'adressa un regard où la surprise se mêlait à la méfiance.

– Vous aimez Nick?

– Les circonstances ne m'ont permis ni de l'aimer ni de le connaître, mais je me sens responsable de lui. Je souhaite qu'il en aille de même pour vous.

– Je l'aime tendrement.

– Trop tendrement, peut-être! Si vous voulez mon opinion, votre mari et vous lui avez rendu un bien mauvais service en vous efforçant de l'entourer d'une protection exagérée. S'il a effectivement tué quelqu'un, cela finira bien par se savoir.

Elle secoua la tête d'un air résigné.

– Vous ignorez ce qui s'est passé.

– Eh bien, dites-le-moi.

– Je ne peux pas.

– Cela vous épargnerait beaucoup de temps et d'argent, madame Chalmers. Et vous sauveriez peut-être ainsi la santé mentale de votre fils. Voire sa vie.

– Le Dr Smitheram m'a affirmé que sa vie n'est pas en danger.

– Le Dr Smitheram n'a pas rencontré les personnes que j'ai rencontrées, moi. Trois meurtres ont été commis en l'espace de quinze ans...

– Taisez-vous! dit-elle d'une voix basse, affolée.

Elle regarda à gauche et à droite dans le couloir. Son ombre, sur le mur, reprenait ses gestes jusqu'à la caricature. Ç'avait beau être une femme, et une femme élégante, elle me rappelait Randy Shepherd et ses coups d'œil en dessous.

– Non, je ne me tairai pas. Vous vivez depuis si longtemps dans la peur que vous avez perdu tout sens du réel. Trois personnes ont été assassinées, je vous le répète, et tout semble indiquer que ces trois assassinats ont un lien commun. Je n'ai pas dit que Nick était coupable des trois. Il est même possible qu'il n'ait été l'auteur d'aucun d'eux.

Elle secoua la tête d'un air éperdu.

– S'il a tué l'homme de l'entrepôt, poursuivis-je, on ne peut pas considérer cela comme un crime. Il a agi en état de légitime défense contre un individu qui voulait le kidnapper, un personnage recherché par la police et qui était armé. C'était un certain Eldon Swain. De la façon dont je vois les choses,

165

Swain a brutalisé Nick qui lui a alors arraché son arme et l'a abattu d'une balle en pleine poitrine.

Elle me décocha un regard étonné.

– Comment savez-vous tout cela?

– Je ne sais rien. Je me suis seulement efforcé de reconstituer en partie le drame à partir des propres déclarations de votre fils. En outre, j'ai eu l'occasion de parler aujourd'hui même avec un ancien détenu, Randy Shepherd. Pour autant qu'on puisse ajouter foi à ses dires, il s'est rendu à l'époque à Pacific Point en compagnie d'Eldon Swain, mais s'est dégonflé quand il a compris que celui-ci avait l'intention de kidnapper un enfant.

– Pourquoi est-ce à nous qu'ils s'en sont pris?

– Je suis bien incapable de vous répondre. Je soupçonne Randy Shepherd d'être plus mouillé qu'il ne le prétend dans cette affaire. J'ai l'impression qu'il a été mêlé aux trois assassinats, qu'il en a été à tout le moins le catalyseur. Sidney Harrow était un ami à lui et c'est Shepherd qui a poussé Jean Trask à se mettre en quête de son père.

– Son père?

– Oui, elle était la fille d'Eldon Swain.

– Et vous dites que ce Swain avait un revolver?

– Oui. Le revolver qui l'a tuée, le revolver qui a tué Sidney Harrow. Ce qui me fait douter que Nick ait été le meurtrier de ce dernier. Je vois mal comment il aurait pu garder cette arme pendant quinze ans.

– Non...

Ses yeux écarquillés et brillants avaient néanmoins quelque chose d'absent comme des yeux de chouette. On eût dit qu'elle passait ces quinze années en revue.

– Non, fit-elle enfin, je suis sûre qu'il ne l'a pas conservé.

– Il ne vous a jamais parlé de cette arme?

Elle secoua la tête.

– Quand il est rentré à la maison... il est rentré par ses propres moyens... il a prétendu qu'un homme qu'il ne connaissait pas l'avait entraîné là-bas, aux entrepôts des chemins de fer, qu'il lui avait pris son revolver et qu'il l'avait abattu. Sur le moment, nous ne l'avons pas cru. Nous avons pensé qu'il fabulait comme le petit garçon qu'il était. Mais, le lendemain, les journaux ont annoncé qu'on avait découvert un cadavre dans l'entrepôt.

– Pourquoi n'avez-vous pas averti la police ?

– A ce moment-là, il était trop tard.

– Même aujourd'hui, il n'est pas encore trop tard.

– C'est trop tard pour moi... pour nous tous.

– Que voulez-vous dire ?

– La police n'aurait pas compris.

– Elle aurait parfaitement compris que Nick ait tué cet homme pour se défendre. Il ne vous a jamais dit pourquoi il avait tiré ?

– Jamais.

Une profonde émotion avait envahi son regard.

– Et ce revolver, qu'est-il devenu ?

– Je suppose qu'il l'a laissé sur place. La police ne l'a pas retrouvé, selon les journaux, et je vous garantis que Nick ne l'a pas rapporté à la maison. Je suppose qu'un clochard quelconque l'a récupéré.

Je repensai à Randy Shepherd. Il s'était trouvé sur les lieux ou, du moins, à proximité. Et il s'était efforcé avec véhémence de se disculper de la tentative de rapt. Réflexion faite, j'avais eu tort de lui laisser le champ libre : un demi-million de dollars, c'était une somme qui constituait une masse critique. Suffisante pour transformer un voleur en assassin.

23

Dans la salle d'attente, le Dr Smitheram et sa femme étaient en conversation avec Larry Chalmers. Le sourire avec lequel le psychiatre m'accueillit n'allait pas jusqu'à ses yeux, méfiants et inquisiteurs.

— Moira m'a dit que vous l'aviez invitée à dîner. Je vous remercie.

— Tout le plaisir a été pour moi. Quelles sont mes chances d'avoir un entretien avec votre malade?

— Infimes. Nulles, en fait.

— Je ne peux même pas lui parler une minute?

— Ce serait peu recommandé, tant pour des raisons purement médicales que psychiatriques.

— Comment est-il?

— Il a, naturellement, une migraine grosse comme une maison et il est à plat. Physiquement et mentalement. C'est dû en partie à la surdose de réserpine qu'il a prise. De plus, il a un joli traumatisme crânien.

— Comment l'expliquez-vous?

— A mon sens, il a été frappé à l'aide d'un instrument contondant, mais la médecine médico-légale n'est pas de mon ressort. En tout cas, il récupère à une vitesse incroyable. Je dois vous voter une motion de reconnaissance pour l'avoir conduit à temps à l'hôpital.

— Nous vous devons tous beaucoup de gratitude, renchérit Chalmers avec une poignée de main protocolaire à l'appui. Vous avez sauvé la vie de mon fils.

— J'ai eu de la chance, et lui aussi. Espérons que la chance continuera à nous sourire.

— Que voulez-vous dire au juste?

168

– Je serais d'avis de faire surveiller la chambre de Nick.

– Vous craignez qu'il ne s'enfuie? demanda Chalmers.

– C'est une éventualité à laquelle je n'avais pas songé. Ce que je voulais dire, c'est qu'il faut assurer sa protection.

– Il a des infirmières pour le surveiller vingt-quatre heures sur vingt-quatre, objecta Smitheram.

– Il lui faut un garde du corps armé. Il y a eu plusieurs assassinats. Inutile qu'il y en ait un de plus. Je peux vous fournir un gorille pour cent dollars par jour, monsieur Chalmers.

– C'est entendu.

Je descendis et passai deux coups de téléphone. D'abord à la succursale locale d'une société de vigiles de Los Angeles qui m'assura qu'un dénommé Maclellan serait sur place dans une demi-heure. Puis j'appelai Imperial Beach. Mme Williams me répondit d'une voix étouffée, où perçait l'inquiétude.

– Lew Archer à l'appareil. Randy Shepherd a-t-il refait surface?

– Non, et il y a peu de chances pour qu'il revienne. (Elle baissa encore le ton.) Vous n'êtes pas le seul à vous intéresser à lui. Ils ont tendu une souricière.

La nouvelle me fit plaisir : voilà qui m'épargnerait du travail.

– Merci, madame Williams. Et ne vous cassez pas la tête.

– Les conseilleurs ne sont pas les payeurs! Pourquoi ne m'avez-vous pas dit que Sidney Harrow était mort?

– Cela n'aurait rien arrangé.

– Tiens donc! Moi, je vends l'affaire dès que je n'aurai plus ces gens-là sur le dos!

Je lui souhaitai bonne chance et sortis prendre l'air. Un moment plus tard, Moira Smitheram me rejoignit.

Elle sortit une cigarette d'un paquet intact et se mit à tirer dessus comme si elle était aux pièces.

– Vous ne fumez pas, vous?

– J'ai renoncé au tabac.

– Moi aussi, mais je me remets à fumer quand je suis en colère.

– Et contre qui êtes-vous en colère?

– Toujours contre Ralph. Il va passer la nuit à l'hôpital afin d'être sur place. Ce ne serait pas mieux si j'avais épousé un trappiste!

C'était une colère superficielle qui semblait masquer quelque chose de plus profond. J'attendis que ce qui la travaillait se manifestât. Finalement, elle jeta sa cigarette et dit :

– J'ai horreur des motels. Est-ce que vous rentrez à Pacific Point tout à l'heure, par hasard?

– Je vais à West Los Angeles. Si vous voulez, je peux vous déposer quelque part.

– Vous êtes très aimable.

Je décelai derrière la façade de courtoisie de la réponse une émotion qui faisait écho à la mienne.

– Pourquoi allez-vous à West Los Angeles?

– C'est là que j'habite et j'aime coucher dans mon lit. C'est pratiquement le seul élément de permanence qui existe dans ma vie.

– Il m'avait semblé que vous aviez la permanence en horreur. Tout à l'heure, au restaurant, vous disiez que vous aimiez pénétrer dans l'existence des gens et en ressortir.

– C'est la vérité. Surtout les gens que je rencontre par obligation professionnelle.

– Des gens comme moi?

170

– Ce n'était pas à vous que je pensais.

– Ah bon? Je croyais que vous énonciez une doctrine d'ordre général valable pour tout un chacun, fit-elle non sans une certaine ironie.

A ce moment, de l'ombre du parking surgit un grand type format armoire à glace, cheveux en brosse et complet sombre, qui se dirigea vers l'entrée de l'hôpital. Je le hélai :

– Maclellan?

– Oui, c'est moi.

Je priai Moira de m'attendre et pilotai Maclellan vers l'ascenseur. Dans la cabine, je lui donnai mes instructions :

– Ne laissez entrer personne en dehors des infirmières, des médecins et des proches parents du patient.

– Comment est-ce que je les identifierai?

– Je vous présenterai. Il faudra surtout vous méfier des hommes, qu'ils aient une blouse blanche ou qu'ils soient en civil. Personne ne doit pénétrer dans la chambre s'il n'a pas le feu vert d'une infirmière ou d'un médecin que vous connaissez.

– Que craignez-vous? Une tentative d'assassinat?

– Ce n'est pas exclu. Etes-vous armé?

Il écarta sa veste pour me montrer la crosse de l'automatique fixé sous son aisselle.

– Qui est-ce que je dois avoir dans le collimateur?

– Hélas, je ne sais pas. Mais votre mission ne se borne pas à cela. Vous devrez empêcher ce jeune homme de se sauver. Toutefois, ne tirez pas sur lui. Ni sur quelqu'un d'autre. Je crois que c'est à peu près tout.

– Vu, fit-il avec la placidité des costauds.

Je le conduisis jusqu'à la porte de Nick et demandai à l'infirmière d'appeler Smitheram. Quand celui-ci sortit, j'eus le temps d'apercevoir Nick par la porte ouverte. Il avait les yeux clos, le nez pointé vers le plafond. Son père et sa mère se tenaient chacun d'un côté du lit. Cela ressemblait à ce qu'on voit dans une frise antique, à une sorte de cérémonie rituelle, le lit surélevé faisant office d'autel sacrificiel.

La porte se referma sans bruit et je présentai Maclellan à Smitheram qui nous adressa à l'un et à l'autre le même regard las.

– Toute cette agitation est-elle vraiment nécessaire?

– Je le crois, docteur.

– Pas moi. Et il n'est pas question que je vous autorise à placer cet homme en faction dans la chambre.

– C'est pourtant là où il serait le plus utile.

– Le plus utile... pour quoi faire?

– Au cas où quelqu'un aurait l'intention d'attenter aux jours de Nick.

– Mais c'est ridicule! Ce garçon est parfaitement en sécurité ici. Qui aurait l'idée de l'assassiner?

– Demandez-le-lui.

– Certainement pas!

– Voulez-vous me laisser lui poser la question?

– Non. Il n'est pas en état...

– Et quand sera-t-il en état?

– Jamais si vous avez l'intention de l'asticoter.

– Le mot est un peu gros. Que cherchez-vous? A me donner mauvaise conscience?

Il exhala un petit rire rusé.

– Si tel était le cas, j'aurais gagné, me semble-t-il.

– Qu'est-ce que vous me cachez, docteur?

Ses yeux se rétrécirent et son débit se fit précipité :

– Il est de mon droit et de mon devoir de

protéger mon malade. Et aucun apprenti G-man ne l'interrogera ni maintenant ni jamais, si je peux m'y opposer. Me suis-je bien fait comprendre?

– Et moi? demanda Maclellan. On m'embauche ou on me flanque à la porte?

Ravalant ma rage, je me tournai vers lui.

– Vous êtes embauché. Le Dr Smitheram veut que vous montiez la garde dans le couloir. Si quelqu'un vous demande ce que vous faites, vous n'aurez qu'à répondre que vous avez été chargé d'assurer la protection de Nick Chalmers par son père et par sa mère. Le Dr Smitheram ou une infirmière vous présentera à eux en temps voulu.

– Le temps me paraîtra long, grommela Maclellan dans sa barbe.

24

Moira n'était ni dans la rue ni dans ma voiture. Je finis par la découvrir dans le parking de l'hôpital. Elle était au volant de la Cadillac décapotable de son mari.

– J'en ai eu assez d'attendre, fit-elle désinvolte. Et j'ai eu l'idée de mettre à l'épreuve votre flair de limier.

– Le moment est mal choisi pour jouer à cache-cache!

J'avais dû m'exprimer avec rudesse: elle ferma les yeux et mit pied à terre.

– Je plaisantais. En vérité, je voulais savoir si vous vous mettriez à ma recherche.

– Eh bien, je me suis mis à votre recherche. Vous êtes contente?

Elle me secoua doucement le bras.

– Vous êtes en colère?

– Pas contre vous. Contre votre animal de mari.

– Allons bon! Qu'est-ce que Ralph a encore fait?

– Il m'a engueulé et m'a traité d'apprenti G-man. Ça, ce sont mes griefs personnels. Le reste est plus grave. Il refuse de me laisser parler à Nick, ni maintenant ni plus tard. Et pourtant, cinq minutes de conversation éclairciraient pas mal de choses.

– J'espère que vous ne me demandez pas de me faire votre avocat auprès de Ralph?

– Non.

– Je n'ai aucune envie d'être prise entre l'arbre et l'écorce.

– Dans ce cas-là, vous seriez bien avisée de vous trouver un autre refuge.

Elle me jeta un regard en coulisse et j'entrevis l'espace d'une seconde sa personnalité réelle, celle d'une femme ombrageuse, versatile, redoutant d'être blessée.

– C'est vrai? Vous voulez m'abandonner?

Ma réponse muette fut de la prendre par le bras. Très vite, elle se dégagea.

– Je suis prête à rentrer chez moi. Et vous?

– Moi aussi.

En vérité, je n'étais pas encore tout à fait prêt. Ma colère envers Smitheram, maintenant aggravée par la méfiance, s'interposait entre sa femme et moi et je me mis à remuer des idées quelque peu déplaisantes : pourquoi ne pas me servir de Moira pour coincer son mari? Je les repoussai, mais elles demeurèrent présentes comme des enfants indésirables tapis dans l'ombre, attendant que les lumières soient éteintes.

Tandis que nous roulions, Moira remarqua mon air préoccupé.

– Si vous êtes fatigué, je peux conduire.

– Ce n'est pas cette fatigue-là. J'ai un certain nombre de problèmes à débrouiller, ajoutai-je en me tapotant le crâne, et mon ordinateur est un modèle primitif de type prébinaire. Il ne dit ni oui ni non : il dit peut-être.

– En ce qui me concerne?

– A propos de tout et de tous.

Nous traversâmes San Onofre sans parler. L'impressionnante sphère du réacteur atomique se dressait, menaçante, dans l'obscurité comme une lune morte qui serait tombée là. La vraie lune voguait dans le ciel au-dessus de lui.

– Est-ce que votre ordinateur est programmé pour répondre aux questions?

– A certaines, oui. Mais il en est qui le mettent complètement sur la touche.

– C'est entendu, murmura-t-elle d'une voix grave. Je sais ce qui vous tracasse, Lew. Vous vous êtes trahi tout à l'heure quand vous avez dit qu'une conversation de cinq minutes avec Nick éclaircirait tout.

– Je n'ai pas dit tout, mais beaucoup de choses.

– Vous pensez qu'il les a tués tous les trois, n'est-ce pas? Harrow, cette pauvre Mme Trask et le bonhomme du dépôt.

– Peut-être.

– Dites-moi ce que vous croyez vraiment.

– Je crois que ce n'est qu'un peut-être. J'ai la certitude raisonnable qu'il a tué le bonhomme du dépôt. Quant aux autres, j'ai des doutes et, plus le temps passe, plus ils s'amplifient. Pour le moment, mon hypothèse de travail est que Nick a été victime d'une machination, que quelqu'un lui fait porter le chapeau et qu'il est possible qu'il sache qui. En conséquence, il est peut-être le suivant de la liste.

– C'est pour cela que vous ne vouliez pas partir avec moi?

– Je n'ai pas dit cela.

– Je l'ai quand même deviné. Si vous estimez que vous devez retourner à l'hôpital, je le comprendrais très bien, vous savez. Je pourrai toujours faire don de mon corps à la science, ajouta-t-elle. Ou le mettre en souscription en attendant.

Je m'esclaffai.

– Ce n'est pas tellement drôle, reprit-elle. Les événements se bousculent et le monde tourne si vite qu'il est difficile pour une femme de lutter.

– N'importe comment, il n'y a pas de raison de faire demi-tour. La protection de Nick est assurée. Il ne peut pas sortir et personne ne peut entrer.

– Voilà qui règle vos « peut-être », n'est-ce pas?

Le silence retomba et il dura longtemps. J'aurais aimé l'interroger longuement sur Nick et sur son mari. Mais si, profitant de l'occasion, je me mettais à utiliser cette femme comme un instrument, ce serait mettre en service une partie de moi-même et une partie de ma propre vie que je m'efforçais de conserver intacte : celle qui faisait toute la différence entre moi et un ordinateur, entre moi et un mouchard.

Mais mes questions informulées cessèrent au bout de quelque temps de me tarabuster et, dans le silence, mon esprit se détendit. Le sentiment de vivre l'affaire de l'intérieur, que j'utilise parfois comme une drogue pour continuer, m'abandonna lentement.

Moira avait des antennes sensibles. Elle se rapprocha de moi comme si j'avais relevé un écran protecteur. Sa chaleur s'infiltrait dans ma cuisse droite et s'irradiait dans tout mon corps.

Elle habitait au sommet de la colline dominant la baie de Montevista une maison linéaire scintillante d'acier, de verre et de fric.

– Laissez votre voiture sur l'aire, si vous voulez. Vous prenez un verre?

– Un petit.

Elle n'arrivait pas à ouvrir la porte.

– Ce sont vos clefs de voiture, lui dis-je.

Elle médita quelques secondes.

– Je me demande ce que cela signifie.

– Que vous avez sans doute besoin de lunettes.

– J'en porte pour lire.

Elle me fit entrer et alluma dans l'antichambre. Nous descendîmes quelques marches pour pénétrer dans une pièce octogonale dont presque toutes les parois étaient des fenêtres. La lune paraissait si proche qu'on avait presque l'impression de pouvoir la toucher et, très loin en contrebas, je distinguais les blancs graffiti des brisants.

– C'est beau.

– Vous trouvez? s'exclama-t-elle avec étonnement. Dieu sait que c'était beau avant que nous ayons construit, quand on faisait des plans avec l'architecte! Mais la maison n'a pas su capter cette beauté. Bâtir une maison, ajouta-t-elle après une pause, c'est mettre un oiseau en cage. L'oiseau, c'est sans doute nous.

– C'est ça qu'on raconte à la clinique?

Elle eut un sourire fugitif.

– Je suis affreusement bavarde, non?

– Vous m'avez proposé un verre.

Elle se pencha vers moi, masque d'argent aux yeux et à la bouche d'ombre dans la lumière ténue qui venait du dehors.

– Qu'est-ce que vous voulez?

– Un scotch.

Soudain, ses yeux bougèrent et je surpris à nouveau leur éclat nu semblable à une lumière secrète brillant dans les profondeurs d'un édifice.

– Est-ce que j'ai le droit de changer d'avis?

Elle avait envie de faire l'amour. Nous nous dévêtîmes plus ou moins et nous affrontâmes comme des lutteurs sur le ring obéissant à des règles particulières où empoigner et être empoigné était aussi chanceux que méritoire.

A un moment donné, entre deux escarmouches, elle me dit que j'étais un amant attentionné.

— Vieillir a quand même quelques avantages.

— Ce n'est pas cela. Vous me rappelez Sonny et il n'avait que vingt ans. Avec vous, je suis à nouveau Eve au paradis terrestre.

— Quelle imagination!

— Je m'en moque. (Elle s'appuya sur un coude et je sentis le poids d'un sein lourd que la lune enrobait d'argent.) Cela vous ennuie que je parle de Sonny?

— Pas du tout, si bizarre que ça puisse paraître.

— D'ailleurs, vous auriez tort. Le pauvre garçon! Ce n'était rien du tout. Mais nous étions heureux ensemble. Deux angelots imbéciles aux petits soins l'un pour l'autre... Il n'avait jamais connu de fille avant moi, et moi, je n'avais pas connu d'autre homme que Ralph.

Son timbre se modifia quand elle prononça le nom de son mari et mes sentiments se modifièrent en même temps.

— Ralph était affreusement technique, affreusement sûr de lui. Il entrait dans mon lit comme une armée de pacification s'abattant sur un pays sous-développé. Avec Sonny, c'était différent. Il était si gentil... et complètement dingue. L'amour était pour nous un jeu, un univers fantastique. Parfois, il faisait semblant d'être Ralph et, d'autres fois, je faisais semblant d'être sa mère. Vous me croyez cinglée? fit-elle avec un petit rire nerveux.

— Demandez cela à Ralph.

— Je vous ennuie, n'est-ce pas?

– Bien au contraire! Combien de temps a duré votre liaison?

– Près de deux ans.

– Et Ralph est rentré?

– Oui, il a fini par revenir. Mais j'avais déjà rompu avec Sonny. Le rêve commençait à prendre des proportions inquiétantes. Et Sonny échappait à mon contrôle. Et puis, je ne pouvais quand même pas quitter son lit pour sauter dans celui de Ralph. En vérité, le remords a failli me tuer.

Mon regard caressa son corps.

– A vous voir, vous ne donnez pas l'impression de faire partie de la catégorie de gens que le repentir étouffe.

– Vous avez raison, répondit-elle au bout d'un instant. Ce n'était pas le remords mais seulement la douleur. J'avais renoncé à mon seul et unique amour, et pour quoi? Pour une maison de cent mille dollars et une clinique de quatre cent mille. Et je ne voudrais mourir ni dans l'une ni dans l'autre. Je préférerais retrouver ma petite chambre du *Magnolia*.

– Elle n'existe plus. Ne croyez-vous pas que vous enjolivez un peu le passé?

– J'exagère peut-être, surtout en ce qui concerne les moments heureux. Les femmes ont une certaine tendance à inventer des histoires où elles ont le beau rôle.

– Ce qui n'arrive jamais aux hommes, Dieu merci!

Elle pouffa.

– Je parierais que c'est Eve qui a imaginé l'histoire de la pomme.

– Et Adam celle du paradis terrestre.

Elle se pelotonna contre moi.

– Vous êtes complètement fou, et c'est un diagnostic. Je suis contente de vous avoir raconté tout cela.

– Pourquoi me l'avez-vous raconté?

– Pour diverses raisons. En outre, vous avez l'avantage de ne pas être mon mari.

– Jamais une femme ne m'a dit une chose aussi agréable à entendre.

– Je parle sérieusement. Si jamais je m'épanchais comme cela devant Ralph, je cesserais immédiatement d'exister en tant que personne et je ne serais plus qu'un de ses célèbres trophées psychiatriques parmi les autres. Il me ferait sans doute empailler et m'accrocherait au mur de son bureau au milieu de ses diplômes. C'est d'ailleurs ce qu'il a déjà fait, en un sens, ajouta-t-elle.

J'aurais bien aimé lui poser un certain nombre de questions sur son mari, mais ce n'était ni le moment ni l'endroit et ma résolution de ne pas me servir d'eux comme d'instruments n'avait pas faibli.

– Oublions Ralph. Qu'est devenu Sonny?

– Il a trouvé une autre fille qu'il a épousée.

– Et vous êtes jalouse?

– Non. Je suis solitaire. Je n'ai personne.

Nos deux solitudes se fondirent à nouveau l'une dans l'autre. Ce n'était pas l'amour mais c'était meilleur que d'être seul. En définitive, je ne suis pas rentré à West Los Angeles cette nuit-là.

25

Au matin, je quittai Moira sans la réveiller. Venu du large, le brouillard engloutissait la maison haut perchée, effaçait Montevista et la grève. Je roulai très lentement entre deux rangées d'arbres spectraux.

Et le brouillard disparut brusquement. Soudain, je retrouvai un ciel sans nuages que sabrait seulement le sillage de deux jets. J'arrivai en ville et me rendis directement à la police.

Lackland était dans son bureau. La pendule électrique au-dessus de sa tête indiquait 8 heures pile, ce qui me fit faire la grimace. On eût dit qu'il m'avait convoqué à cette heure précise en utilisant Dieu sait quelle force occulte.

– Je suis bien content de votre visite, me dit-il. Asseyez-vous. Je me demandais justement où tout le monde avait bien pu passer.

– Je suis allé à San Diego pour des vérifications.

– Et vous avez amené vos clients avec vous?

– Le petit Chalmers a eu un accident. C'est pour le voir que je me suis rendu là-bas.

– Ah bon... (Il se tut quelques instants, mordillant et torturant ses lèvres comme pour punir sa bouche trop curieuse.) Quel genre d'accident? Mais c'est peut-être un secret de famille?

– Empoisonnement par barbituriques. Il a également été blessé à la tête.

– Tentative de suicide?

– Possible.

Il se pencha en avant, le menton tendu.

– Après avoir refroidi Mme Trask?

Je ne m'attendais pas à cette question et je l'éludai :

– Le suspect numéro un dans cette affaire est Randy Shepherd.

– Je sais bien, fit-il, me laissant clairement entendre que c'était du réchauffé. Sans Diego nous a tuyautés sur son compte.

– Vous a-t-on précisé qu'il connaissait Eldon Swain de longue date?

Il se mordit la lèvre supérieure.

– Vous en êtes sûr?

– Oui. J'ai eu une conversation avec lui pas plus tard qu'hier. Il n'était pas encore soupçonné. Il m'a raconté que Swain avait pris la fuite avec sa fille, Rita, et un demi-million de dollars. Il semble que Shepherd ait cherché toute sa vie à tomber sur un gros paquet d'oseille comme ça. En outre, il est avéré qu'il a convaincu Mme Trask de faire appel aux services de Sidney Harrow et de venir à Pacific Point. De toute évidence, il s'est servi d'eux pour tirer les marrons du feu. Il voulait savoir quel risque il courait en y venant lui-même.

– Ainsi, Shepherd avait quand même un motif pour tuer Swain.

Sa voix était étouffée comme si quinze ans passés à travailler sur cette affaire avaient eu finalement raison de toute son énergie.

– Et un motif pour faire disparaître les empreintes digitales de Swain. Où l'avez-vous rencontré?

– A la frontière mexicaine, près d'Imperial Beach. Il n'y est sûrement plus.

– Non. Il a été vu à Hemet cette nuit. Il s'était arrêté pour prendre de l'essence. Il roulait vers le nord à bord d'une voiture volée, un coupé Mercedes noir d'un modèle récent.

– Vous devriez voir du côté de Pasadena. Il y a séjourné. Et Eldon Swain aussi.

J'expliquai à Lackland ce que je savais sur Swain, sa femme, leur fille assassinée, le détournement de fonds dont la banque de Rawlinson avait été victime et je conclus :

– Compte tenu de ces éléments, on ne peut sérieusement rien reprocher à Nick Chalmers. Il n'était même pas né quand Eldon Swain a commis

182

cette escroquerie. Pourtant, cela a été le point de départ de toute l'affaire.

Il ne répondit pas tout de suite. Au repos, son visage faisait penser à un paysage érodé par la sécheresse.

– Moi aussi, je connais pas mal d'histoires, laissa-t-il enfin tomber. Rawlinson, le patron de la banque, passait l'été ici, autrefois... dans les années 20 et 30. Et je pourrais encore vous en dire davantage.

– Ne vous gênez surtout pas.

J'eus droit à un de ses rares sourires. Il n'était pas très différent de ses habituels tortillements de lèvres, à ceci près qu'une étincelle brilla soudain timidement dans ses yeux.

– Je regrette de vous décevoir, Archer, mais vous aurez beau faire, Nick Chalmers est toujours dans le coup. Sam Rawlinson avait une maîtresse et, quand celle-ci est devenue veuve, il venait ici tous les étés. Vous voulez savoir le nom de cette femme ?

– C'était la grand-mère de Nick... la veuve du juge Chalmers.

Lackland prit un air dépité. Il saisit une feuille dactylographiée posée dans le panier à courrier, la lut avec soin, la roula en boule et la jeta dans la corbeille. Il rata son coup et dut s'y reprendre à deux fois.

– Comment savez-vous cela ?

– Je vous ai dit que j'ai fait des recherches à Pasadena. Mais je ne vois toujours pas ce que Nick vient faire là-dedans. Il n'est pas responsable des agissements de sa grand-mère.

Pour une fois, Lackland ne trouva pas d'argument à m'opposer. Pourtant, en quittant son bureau, je me dis que c'était peut-être le contraire qui était vrai, que la défunte grand-mère était responsable du comportement du petit-fils. Les relations de longue date existant entre les Rawlinson et les Chalmers avaient certainement une signification.

En chemin, je passai devant le tribunal. Son portail était surmonté d'un bas-relief figurant une Justice aux yeux bandés en train de tripoter ses balances. Toi, ma vieille, tu aurais besoin d'un voyant, fis-je en mon for intérieur. Je me sentais plein d'indulgence. C'était inquiétant.

Après avoir avalé un steak et des œufs en guise de petit déjeuner, j'entrai chez un coiffeur pour me faire raser. Quand je ressortis, il n'était pas loin de 10 heures : normalement, Truttwell devait être à son bureau.

Il n'y était pas. La réceptionniste me dit qu'il venait de partir et qu'elle ne savait pas quand il rentrerait. Elle avait une perruque noire, ce matin, et elle prit le regard dont je l'enveloppais pour un compliment.

– J'aime changer de personnalité, m'expliqua-t-elle. C'est lassant d'être toujours la même.

– Je suis comme vous. Est-ce que M. Truttwell est chez lui ?

– Je ne sais pas. Il a reçu deux appels téléphoniques longue distance et il est parti aussitôt. S'il continue comme ça, il finira par perdre sa clientèle. (Elle me décocha un sourire appuyé comme si elle jetait déjà des jalons.) Est-ce que les cheveux noirs vont bien à mon teint ? En réalité, je suis naturellement brune, mais j'adore faire des expériences.

– Vous êtes charmante.

– C'est bien ce que je pensais, fit-elle sans complexe.

– D'où venaient ces appels ?

– Il y en a eu un de San Diego... c'était Mme Chalmers. L'autre, j'ignore. La personne n'a pas voulu me donner son nom. C'était une voix de vieille femme.

184

– D'où téléphonait-elle?

– Elle ne me l'a pas dit non plus et elle a appelé par l'automatique.

Je lui demandai de téléphoner chez Truttwell. Il était effectivement à son domicile, mais ne voulut ou ne put prendre la communication. Ce fut Betty que j'eus en ligne.

– Votre père va bien?

– Je crois... j'espère.

Elle parlait d'une voix grave et préoccupée.

– Et vous?

– Ça va.

Son ton n'était pas convaincant.

– Si je viens tout de suite, pourrai-je avoir un entretien avec votre père?

– Je l'ignore, mais dépêchez-vous. Il ne va pas tarder à partir.

– Où va-t-il?

– Je l'ignore, répéta-t-elle d'une voix sombre. En tout cas, si vous le ratez, je serais heureuse de vous voir.

La Cadillac de Truttwell était devant la maison. Betty m'ouvrit. Son regard avait quelque chose de vide et d'impersonnel. Même ses cheveux dorés paraissaient ternes.

– Avez-vous vu Nick, monsieur Archer?

– Oui. Le médecin est très optimiste.

– Mais qu'a-t-il dit?

– Il n'était pas en état de parler.

– A moi, il aurait parlé. J'avais tellement envie d'aller à San Diego! (Elle serra ses poings contre sa poitrine.) Mais mon père s'y est opposé.

– Pourquoi?

– Il est jaloux de Nick. Je sais que c'est moche de dire cela, mais père n'a pas mâché ses mots. Ce matin, après que Mme Chalmers lui eut signifié qu'elle se passerait dorénavant de ses services, il m'a dit que je devais choisir entre Nick et lui.

– Pourquoi Mme Chalmers l'a-t-elle remercié?

– Il faudra que vous le demandiez à mon père. Nous ne nous adressons plus la parole.

Sur ces entrefaites, Truttwell surgit dans le vestibule derrière son dos. Bien qu'il eût sûrement entendu, il s'abstint de tout commentaire mais lança à Betty un regard irrité qu'elle ne vit pas mais que j'enregistrai.

– Eh bien, Betty! En voilà des façons de laisser les visiteurs debout!

Sans prononcer un mot, elle fit demi-tour et disparut dans une pièce dont elle referma la porte.

– Ce malheureux minus lui fait perdre la tête, soupira Truttwell d'une voix dolente où perçait une imperceptible note de rancune. Elle n'a pas voulu m'écouter. Peut-être que, maintenant, elle changera d'avis. Mais entrez, Archer. J'ai des nouvelles pour vous.

Il me conduisit dans son bureau. Il était encore plus tiré à quatre épingles que d'habitude: costume fil à fil fraîchement repassé, chemise de soie, cravate et pochette assortie et il émanait de lui un parfum de lotion masculine.

– Betty m'a annoncé que vous vous sépariez des Chalmers. On dirait que vous fêtez l'événement.

– Elle aurait mieux fait de se taire. Elle oublie la discrétion.

Une expression chagrine s'était peinte sur son visage rose. Il tapota l'argent de ses cheveux. Betty l'avait touché dans sa vanité, pensai-je, et il n'avait guère d'autre refuge. Le changement du père m'inquiétait plus que celui de la fille. Elle, elle était jeune et elle changerait encore avant d'acquérir sa personnalité définitive.

186

– C'est une chic fille, monsieur Truttwell.

Il referma la porte du bureau et s'y adossa.

– Inutile de vanter la marchandise, Archer. Je la connais. Elle a laissé cette larve lui empoisonner l'esprit et la dresser contre moi.

– Je n'en crois pas un mot.

– Vous n'êtes pas son père! s'exclama-t-il comme si la paternité conférait le don de double vue. Elle s'est ravalée à son niveau. Elle va jusqu'à employer le même grossier charabia freudien que lui. (A présent, il était cramoisi et parlait d'une voix hachée.) Ne m'a-t-elle pas accusé d'avoir pour elle un intérêt malsain!

Qu'est-ce qu'un intérêt sain? me demandai-je.

– Je sais d'où lui viennent ces idées, continua-t-il. Du Dr Smitheram par l'intermédiaire de Nick. Je sais aussi pourquoi Irène Chalmers a rompu les relations avec moi. Elle ne m'a pas caché au téléphone que le merveilleux Smitheram l'avait exigé. Je le crois décidé à prendre les opérations en main et cela pourrait être catastrophique. Comment voulez-vous qu'un avocat puisse assurer la défense de Nick en ignorant ce qu'il a fait?

Il me décocha un regard circonspect. Maintenant que la conversation se plaçait sur un terrain plus familier, il recouvrait un peu de sa réserve d'homme de loi.

– Vous êtes sûrement plus au courant des faits que je ne puis l'être moi-même.

C'était une question, mais je n'y répondis pas tout de suite. L'opinion que j'avais du personnage était en train de subir une modification. Une modification qui n'était d'ailleurs pas radicale, car force m'était de m'avouer que, dès le début, ses motivations n'avaient pas paru totalement convaincantes. Maintenant, il était visible qu'il avait voulu se servir de moi et qu'il entendait continuer à le faire. De la même façon qu'Harrow avait été l'outil de Randy Shepherd, j'étais l'outil de Truttwell. Tout sémillant, l'œil perçant, astiqué comme un sou neuf, il attendait que je dégoise des saletés sur l'ami de sa fille.

– Les faits, c'est ce qui manque le plus dans cette affaire, monsieur Truttwell. Je ne sais même pas pour qui je travaille. Ni même si je travaille pour quelqu'un.

– Mais bien sûr que si, fit-il avec aménité. Vous serez totalement rémunéré pour votre peine et je vous garantis que vos honoraires seront réglés, au moins jusqu'à aujourd'hui.

– Par qui?

– Par les Chalmers, naturellement.

– Mais vous ne les représentez plus?

– Ne vous inquiétez pas. Vous n'aurez qu'à m'envoyer votre note et ils la paieront. Vous n'êtes quand même pas un ouvrier saisonnier et je ne les laisserai pas vous traiter comme un migrant.

Sa bonne volonté était intéressée : elle durerait sans doute aussi longtemps que je lui serais d'une utilité quelconque. Et elle m'embarrassait de même que me gênait le conflit qui avait surgi entre les Chalmers et lui. Dans ces cas-là, c'est en général moi qu'on jette aux chiens.

– Ne faudrait-il pas que je fasse mon rapport aux Chalmers?

– Non. Ils vous ont d'ores et déjà congédié. Ils ne veulent pas qu'on trouve la vérité en ce qui concerne Nick.

– Comment va-t-il?

Il haussa les épaules.

– Sa mère ne me l'a pas dit.

– A qui dois-je rendre compte, maintenant?

– A moi. Je représente la famille Chalmers depuis

près de trente ans et elle s'apercevra qu'il n'est pas si facile de se passer de moi.

Il avait accompagné cette prédiction d'un sourire, mais il y avait l'ombre d'une- menace dans sa voix.

– Et si elle ne s'en aperçoit pas?

– Elle s'en apercevra, je vous le garantis. En tout cas, vous n'avez aucun souci à vous faire du point de vue financier. A partir d'aujourd'hui, je prends personnellement tous vos frais en charge.

– Je vous remercie. Je vais réfléchir.

– Tâchez de réfléchir vite, ajouta-t-il, toujours souriant. Je dois me rendre à Pasadena où j'ai rendez-vous avec Mme Swain. Elle m'a téléphoné ce matin pour me proposer ses photos de famille moyennant finances. C'est après que Mme Chalmers m'eut remercié. J'aimerais que vous veniez avec moi, Archer.

Dans ce métier, on ne fait pas toujours ce que l'on veut. Si je refusais de marcher avec Truttwell, il me retirerait l'enquête et s'arrangerait sans doute pour me faire interdire de séjour dans le comté.

– Je me rendrai chez Mme Swain par mes propres moyens. Si vous voulez, nous nous retrouverons à Pasadena.

– Entendu. Vous me suivez?

Je répondis par l'affirmative, mais je ne le suivis pas immédiatement. Nous avions à parler, Betty et moi.

26

Betty arriva à la porte comme si nous nous étions donné le mot et me fit rentrer à nouveau.

– J'ai les lettres, m'annonça-t-elle avec le plus grand calme. Celles que Nick a prises dans le coffre-fort de son père.

Nous montâmes dans son bureau et elle sortit d'un tiroir une grosse enveloppe bourrée de lettres par avion, la plupart classées par ordre chronologique. Il y en avait bien deux cents.

– Comment savez-vous que Nick les a prises dans le coffre?

– Il me l'a avoué avant-hier. Le Dr Smitheram nous avait laissés seuls un moment et Nick m'a dit où il les avait cachées dans son appartement. Je suis allée les chercher hier.

– Vous a-t-il expliqué ce qui l'a poussé à les voler?

– Non.

– Le savez-vous?

Elle se jucha sur un gros pouf multicolore.

– J'ai formulé un certain nombre d'hypothèses. J'imagine que c'est en partie un problème de relations entre père et fils. Malgré tous les pépins qu'il a eus, Nick a toujours eu beaucoup de respect pour son père.

– Est-ce également valable pour vos rapports avec le vôtre?

– Il ne s'agit pas de moi, répliqua-t-elle sur un ton gourmé. D'ailleurs, les filles, ce n'est pas pareil. Elles sont plus... ambiguës. Pour un garçon, de deux choses l'une : ou il veut être comme son père ou il s'y refuse. Et je pense que Nick appartient à la première catégorie.

– Cela n'explique pas pourquoi il a volé ces lettres.

– Je ne prétends pas être en mesure de l'expliquer. Mais il l'a peut-être fait... comment dire?... pour s'approprier le courage de son père... etc.! Ces lettres avaient de l'importance pour lui.

– Pourquoi?

– C'est M. Chalmers qui leur a conféré leur importance. Il les lisait à haute voix à son fils. Des passages, tout au moins.

– Dernièrement?

– Non, quand Nick était enfant.

– Quand il avait huit ans?

– Cela a commencé quand il avait à peu près cet âge. Pour moi, M. Chalmers cherchait à l'endoctriner, à faire de lui un homme et toute la lyre.

Elle avait dit cela d'une voix quelque peu dédaigneuse, mais son mépris s'adressait plus à ce système d'endoctrinement qu'à Nick ou à son père.

– A huit ans, Nick a été mêlé à une histoire grave. Avez-vous des lumières à ce sujet, Betty?

Elle hocha énergiquement la tête et ses cheveux tombèrent comme un voile sur son visage.

– Il a tué un homme, il me l'a dit l'autre soir. Mais je ne veux pas parler de cela.

– Encore une question. Que pensait-il de ce meurtre?

Elle se recroquevilla sur elle-même comme si elle avait soudain très froid. Pelotonnée sur le gros coussin, serrant sa poitrine dans ses bras et la figure dissimulée derrière sa chevelure, elle faisait penser à un gnome.

– Je ne veux pas parler de cela, répéta-t-elle.

Repliant les jambes, elle posa son front sur ses genoux, parodiant presque l'attitude de désespoir de Nick.

Je posai les lettres sur une table installée devant la fenêtre. De cette place, je voyais la façade blanche et les toits de tuiles rouges de la maison des Chalmers. La demeure donnait l'impression d'avoir toute une histoire et je lus la première lettre avec l'espoir qu'elle me dévoilerait cette histoire.

Mme Harold Chalmers   *Pearl Harbor*
2124 Pacific Street   *9 octobre 1943*
Pacific Point - Californie

Ma chère mère,
J'ai juste le temps de t'écrire un petit mot très bref mais je tenais à ce que tu saches aussi rapidement que possible que tous mes vœux sont exaucés. Cette lettre, paraît-il, passera par la censure parce qu'il ne faut pas laisser filtrer les secrets militaires. Je me contenterai donc de te dire deux mots : la mer et l'air, et tu comprendras à quel genre de tâche j'ai été affecté. J'ai l'impression d'avoir été armé chevalier, mère. Fais part de la bonne nouvelle à M. Rawlinson.
La traversée a été fastidieuse mais plutôt agréable. Pas mal de mes camarades pilotes passaient leur temps sur le rouf à tirer sur les poissons volants. J'ai fini par leur dire qu'ils perdaient leur temps et souillaient la beauté du paysage. Un moment j'ai cru que quatre ou cinq d'entre eux allaient me tomber dessus en même temps mais ils ont reconnu la supériorité morale de mon point de vue et ont quitté le rouf.
J'espère que tu vas bien et que tu es heureuse, chère mère. Moi, je n'ai jamais été aussi heureux de ma vie.
Ton fils qui t'aime,

                                         Larry

Si j'avais espéré que cette lettre m'ouvrirait des horizons nouveaux sur l'affaire, j'en étais pour mes frais. Elle avait été écrite par un jeune homme idéaliste, assez infatué de lui-même et qu'animait une anormale ardeur guerrière. La seule chose qui me frappait était que ce garçon était devenu cette momie desséchée qu'était M. Chalmers.

La seconde lettre avait été écrite dix-huit mois

plus tard. Plus longue et plus intéressante, elle portait la marque d'une personnalité plus mûre que la guerre avait rassie.

Mme Harold Chalmers   Aspirant L. Chalmers
2124 Pacific Street   USS Sorrel - Bay (CVE 185)
Pacific Point Californie   15 mars 1945

Très chère mère,
Je suis à nouveau en première ligne, de sorte que cette lettre ne partira pas tout de suite. C'est difficile d'écrire une lettre que je suis forcé de conserver. C'est comme de tenir un journal, ce dont j'ai horreur, ou de faire la conversation avec un dictaphone. Mais t'écrire à toi, mère chérie, c'est autre chose.
A part ce qui ne passerait pas la censure, rien de très neuf en ce qui me concerne. Je vole, je dors, je lis, je mange et je rêve du pays. Comme tout le monde. Pour une nation qui a construit la marine non seulement la plus puissante mais aussi la plus experte du monde, nous sommes, nous autres Américains, une sacrée bande de bouseux! Notre unique désir est de retrouver le plancher des vaches.
C'est également vrai des marins authentiques qui ne pensent qu'à une seule chose : une affectation à terre et la retraite. Sauf les gradés qui ont une carrière à faire. La marine anglaise ne fait pas exception. J'ai fait la connaissance de quelques officiers britanniques dans un port dont je tairai le nom, il n'y a pas longtemps. Ce soir-là, le bruit de l'effondrement de l'Allemagne a couru et c'était touchant d'entendre les vœux pleins d'espoir de nos amis anglais. La rumeur était prématurée, comme tu le sais sans doute, mais l'Allemagne aura peut-être capitulé lorsque tu recevras cette lettre. Après, je donne un an au Japon.
J'ai rencontré deux pilotes qui avaient effectué des missions sur Tokyo et ils m'ont dit qu'ils avaient

trouvé cela épatant parce qu'aucun des appareils de leur groupe n'avait été touché. (Nous avons eu moins de chance dans mon escadrille.) Ils repartaient pour les Etats-Unis après avoir fait leur travail et ils étaient bien contents. Mais ils étaient tendus, crispés et exprimaient leurs sentiments avec beaucoup de violence. Les pilotes font un peu penser à ces chevaux de course développés à un point presque malsain. J'espère ne pas donner cette impression à autrui.

Notre chef d'escadrille, le commandant Wilson, appartient cependant à cette catégorie. (Je peux le dire : il ne censure plus le courrier.) Cela fait longtemps qu'il se bat dans le Pacifique. Mais c'est toujours le distingué diplômé de Yale qu'il était au début de la guerre. On a pourtant le sentiment d'un homme dont le développement s'est arrêté. Il a donné le meilleur de lui-même à la guerre et ne sera jamais plus l'individu qu'il aurait dû être. (Il envisage d'entrer dans le service consulaire après.)

Exception faite d'une ou deux tempêtes, il fait beau : le soleil étincelle, la mer bleue scintille, ce qui simplifie les choses quand on doit prendre l'air. Mais il règne une forte houle qui, elle, n'arrange rien. Notre vieille coque de noix roule et tangue péniblement. Par moments, elle se tortille comme une fille qui ferait la danse du ventre et tout dégringole par terre.

Bon, maintenant je vais me coucher.

Tendrement,

Larry

La mélancolie sous-jacente qui se dégageait de cette lettre m'impressionnait. Une phrase demeurait gravée dans mon souvenir : « Il a donné le meilleur de lui-même à la guerre et ne sera jamais plus l'individu qu'il aurait dû être », car elle paraissait s'appliquer non seulement au chef d'escadrille mais à Chalmers lui-même.

La troisième missive portait la date du 4 juillet 1945.

Très chère mère,

Nous sommes tout près de l'équateur et il fait rudement chaud. Mais je n'ai pas l'intention de me plaindre. Si, demain, nous ne quittons pas cet atoll, j'essaierai de prendre un bain, ce qui ne m'est pas arrivé depuis des mois. La dernière fois, c'était à Pearl Harbor. L'un de mes plus grands plaisirs de la journée est la douche du soir. L'eau n'est pas froide, car la température de la mer oscille aux environs de 32° et on doit faire des économies. En effet, toute l'eau que nous utilisons à bord est de l'eau de mer préalablement dessalée. N'empêche que j'aime bien ma douche quotidienne.

Il y a d'autres choses dont je rêve : des œufs frais au breakfast, un verre de lait froid, une virée en voilier au large de Pacific Point et bavarder avec toi, mère, dans notre jardin entre les montagnes et la mer. Je suis absolument navré de savoir que tu n'es pas bien et que tu as des ennuis avec tes yeux. Remercie de ma part Mme Truttwell (bonjour, Mme Truttwell!) qui a la gentillesse de te lire cette lettre à haute voix.

Ne te fais surtout pas de soucis pour moi, il n'y a aucune raison. Après une période assez peu enviable (au cours de laquelle nous avons perdu le commandant Wilson et trop de camarades à l'escadrille), nous sommes tranquilles comme Baptiste. Si tranquilles que je me sens un peu coupable – mais pas assez pour sauter par-dessus bord et filer à toute vitesse à la nage en direction du Japon. A propos, les nouvelles sont bonnes, n'est-ce pas? Je fais allusion à la destruction de leurs villes. A présent, il n'est un secret pour personne que nous allons réserver au Japon le sort que nous avons déjà réservé à certaine île (dont je tairai le nom) au-dessus de laquelle j'ai effectué tant de missions.

      Tendrement,

                    Larry

Je rangeai les lettres dans leur enveloppe. Elles étaient comme une série de points dessinant une courbe. Le jeune homme – ou l'homme – qui les avait écrites était successivement passé de l'idéalisme effervescent de la première à la prompte et frappante maturité de la seconde pour aboutir, dans la troisième, à une sorte de lassitude. Et je me demandais ce que Chalmers voyait dans ses lettres pour avoir tenu à les lire à haute voix à son fils.

Je me tournai vers la jeune fille, toujours assise sur le pouf dans la même position.

— Avez-vous lu ces lettres, Betty ?

Elle leva la tête. Son regard était sombre et lointain.

— Pardon ? Excusez-moi, je pensais à autre chose.

— Avez-vous lu ces lettres ?

— Quelques-unes. Je voulais savoir pourquoi elles causaient tant de foin. Je les trouve rasantes. Celle qui parle du bombardement d'Okinawa est ignoble.

— Est-ce que je peux garder les trois que j'ai lues ?

— Prenez-les donc toutes, ne vous gênez pas. Si mon père les découvre ici, il faudra que je lui explique où je les ai trouvées. Et ce sera enfoncer un clou de plus dans le cercueil de Nick.

— On ne l'a pas encore mis en bière. Parler de lui comme s'il était déjà mûr pour l'enterrement n'arrange rien.

— N'employez pas ce ton paternel, je vous en prie, monsieur Archer.

— Et pourquoi pas ? Je ne suis pas de ceux qui

196

croient que les gens savent tout en naissant et qu'ils oublient en vieillissant.

Elle réagit de façon positive à mon ton volontairement sec.

– C'est la doctrine platonicienne de la réminiscence. Moi non plus je n'y crois pas. (Elle se laissa glisser au bas du pouf et, sortant de sa léthargie, s'avança vers moi.) Pourquoi ne rendriez-vous pas ses lettres à M. Chalmers? Vous ne seriez pas forcé de lui dire comment vous les avez récupérées.

– Il est chez lui?

– Je n'en ai aucune idée. Vous savez, je ne passe pas tout mon temps devant ma fenêtre à surveiller leur maison. (Et elle ajouta avec un sourire fugace :) En tout cas, pas plus de six à huit heures par jour.

– Ne pensez-vous pas qu'il est temps de vous débarrasser de cette habitude?

Elle m'adressa un regard où se lisait la déception.

– Vous aussi, vous êtes contre Nick?

– Evidemment pas. Mais je le connais à peine. C'est vous que je connais et je trouve lamentable de vous voir là, coincée entre les deux termes de cette sinistre alternative.

– C'est à Nick et à mon père que vous faites allusion? Je ne suis pas coincée entre eux.

– Mais si! Vous êtes prisonnière... comme la vierge dans la tour. Cette petite guerre d'usure que vous livrez contre votre père vous donne peut-être l'impression d'être un combat pour la liberté. Mais ce n'est pas vrai. Vous réussissez seulement à vous enliser davantage. Et même si vous parvenez à vous évader, ce ne sera pas la liberté. Vous vous êtes débrouillée de telle façon qu'un autre homme tout aussi exigeant aura barre sur vous. C'est à Nick que je pense.

– Vous n'avez pas le droit de l'attaquer...

– C'est vous que j'attaque. Ou, plus exactement la situation dans laquelle vous vous êtes fourrée. Pourquoi ne tirez-vous pas votre épingle du jeu?

– Où voudriez-vous que j'aille?

– Ce n'est pas à moi qu'il faut poser cette question. Vous avez vingt-cinq ans.

– Mais j'ai peur.

– De quoi?

– Je ne sais pas. J'ai peur, c'est tout. (Après un silence, elle reprit en baissant le ton :) Vous savez ce qui est arrivé à ma mère. Je vous l'ai raconté, n'est-ce pas? Elle était là, devant cette fenêtre – autrefois, cette pièce était la lingerie. Elle a vu de la lumière chez les Chalmers où, en principe, il aurait dû n'y avoir personne. Elle est allée jeter un coup d'œil. Les cambrioleurs l'ont prise en chasse et l'ont écrasée.

– Pourquoi?

– Je l'ignore. Ce ne fut peut-être qu'un accident.

– Qu'est-ce qu'ils cherchaient chez les Chalmers?

– Je n'en sais rien.

– Quand ces événements ont-ils eu lieu, Betty?

– Au cours de l'été 1945.

– Vous étiez trop jeune à l'époque pour en garder le souvenir.

– C'est vrai mais mon père m'a tout dit. C'est depuis ce temps-là que j'ai peur.

– Je ne vous crois pas. Vous ne vous êtes pas conduite comme quelqu'un qui a peur, l'autre soir, quand Mme Trask et Harrow sont venus chez les Chalmers.

– Pourtant, j'avais peur. Affreusement peur. Et je n'aurais jamais dû y aller. Ils sont morts tous les deux.

Je commençais à comprendre la nature de la terreur qui l'habitait. Elle croyait que Nick avait tué

Harrow et Mme Trask (en tout cas, elle le soupçon-
nait de ce double crime) et était convaincue d'avoir
agi comme un catalyseur. Quelque part, peut-être,
dans les oubliettes de son esprit, au delà de la
mémoire, au delà de la parole se tapissaient la
conscience erronée mais coupable, le remords
d'avoir été mystérieusement, alors qu'elle n'était
qu'une enfant en bas âge, à l'origine de la mort de
sa mère.

27

L'arrivée d'une voiture me ramena au présent.
C'était la Rolls noire de Chalmers. Il mit pied à
terre et traversa la cour intérieure de sa demeure
d'une allure incertaine.

– Vous avez réussi! dis-je à Betty.

– A quoi?

– A ce que je surveille la maison des Chalmers. Ils
ne sont pourtant pas tellement intéressants.

– Peut-être. Mais ce sont des gens particuliers. Le
genre de gens que l'on surveille.

– Pourquoi ne nous surveillent-ils pas?

– Parce qu'ils s'intéressent davantage à eux, dit-
elle sur le même ton. Ils se moquent de nous
comme d'une guigne. (Elle sourit d'un sourire
dépourvu de gaieté.) Bon... J'ai saisi l'allusion! Il
faudrait que je m'intéresse davantage à moi-
même.

– Par exemple. D'ailleurs, qu'est-ce qui vous intéresse?

– L'histoire. On m'a proposé une bourse de
voyage, mais j'ai estimé qu'on avait besoin de moi
ici.

– Pour poursuivre votre carrière d'espionne?

– Vous avez marqué un point, monsieur Archer, n'insistez donc pas.

Je lui dis au revoir. Après avoir mis les lettres dans ma voiture, je traversai la rue pour rendre visite aux Chalmers. Je réagissais à retardement à la mort de la mère de Betty qui, maintenant, me faisait l'effet d'être intimement liée à l'affaire. Si Chalmers faisait preuve de bonne volonté, il serait en mesure de m'aider à comprendre celle-ci.

Il ouvrit lui-même la porte. Son expression chagrine allongeait encore son visage brun et osseux. Je lui trouvai le teint brouillé. Ses yeux au regard las étaient congestionnés.

– Je ne m'attendais pas à vous voir, monsieur Archer, fit-il d'un ton neutre. J'avais cru comprendre que ma femme avait rompu toutes relations.

– J'espère que nous pouvons quand même nous adresser la parole. Comment va Nick?

– Très bien. Mme Chalmers et moi-même vous sommes reconnaissants de votre concours, poursuivit-il avec circonspection. Je tiens à ce que vous le sachiez. Malheureusement, vous vous êtes trouvé au beau milieu d'un conflit opposant Truttwell et le Dr Smitheram. Il leur est impossible de travailler la main dans la main et, les circonstances étant ce qu'elles sont, nous devons faire front avec Smitheram.

– C'est une lourde responsabilité qu'il assume.

– Sans doute. Mais ce n'est pas votre affaire, fit-il d'un ton quelque peu cassant. J'espère que vous n'êtes pas venu ici dans l'intention de vous livrer à une attaque contre le Dr Smitheram? Dans la situation où je suis, je suis obligé de m'appuyer sur quelqu'un. Nul homme n'est une île, ajouta-t-il à ma grande surprise. Nous ne pouvons pas porter ce fardeau à nous seuls.

Cette tristesse hargneuse m'ennuyait.

– Je suis bien d'accord avec vous, Chalmers. J'aimerais quand même vous aider dans la mesure du possible.

– Comment voulez-vous m'aider? me demanda-t-il, soudain méfiant.

– Je commence à sentir l'affaire. Je crois que tout a débuté avant la naissance de Nick et que le rôle de votre fils est on ne peut plus innocent. Il m'est impossible de vous promettre de le blanchir entièrement, mais j'espère parvenir à prouver qu'il est une victime, un bouc émissaire.

– Je ne vous comprends pas très bien. Mais entrez donc.

Il me conduisit dans le bureau où mon enquête avait fait ses premiers pas. J'avais l'impression d'être un peu à l'étroit, d'étouffer, comme si tous les événements dont cette pièce avait été le théâtre continuaient à y vivre, occupant toute la place et pompant l'air. L'idée me vint que Chalmers éprouvait peut-être presque constamment cette impression de gêne, d'étouffement.

– Un petit alcool, Archer?

– Non, merci.

– Eh bien, je m'en abstiendrai moi aussi. (Il fit pivoter le fauteuil et s'assit face à moi derrière la grande table.) Je suppose que vous aviez l'intention de me donner un aperçu général de la situation?

– En effet, monsieur Chalmers, mais avec votre concours.

– Quel concours pourrais-je vous apporter? Je suis totalement dépassé par les événements, ajouta-t-il, en levant les mains dans un geste d'impatience.

– Avec votre indulgence, alors. Je viens d'avoir une conversation avec Betty Truttwell. Nous avons parlé de la mort de sa mère.

– Ce fut un tragique accident.

– Cela a peut-être été plus qu'un accident. D'après ce que j'ai cru comprendre, Mme Truttwell était la meilleure amie de votre mère?

– En effet. Elle a été merveilleuse avec elle à la fin de sa vie. La seule chose que j'aurais à lui reprocher serait de ne pas m'avoir prévenu de la gravité de l'état de ma mère. J'étais dans le Pacifique, à l'époque, et je n'avais pas idée qu'elle fût si proche de la mort. Vous imaginez sans peine ce que j'ai ressenti quand, rapatrié à la mi-juillet, j'ai appris qu'elles étaient mortes toutes les deux. (Ses yeux bleus au regard trouble croisèrent les miens.) Et voilà que vous me dites maintenant que la mort de Mme Truttwell n'a peut-être pas été un accident?

– C'est en tout cas la question que je me pose. Accident? Meurtre délibéré? En vérité, le choix entre les deux thèses n'est pas ce qui importe le plus. Quand quelqu'un trouve la mort à l'issue d'un cambriolage, il s'agit n'importe comment d'un meurtre aux yeux de la loi. Mais je commence à penser que quelqu'un a volontairement supprimé Mme Truttwell. Etant l'amie la plus proche de votre mère, elle devait connaître ses secrets intimes.

– Ma mère n'avait pas de secrets. Elle était le point de mire de toute la communauté.

Le fauteuil pivotant grinça quand Chalmers se leva rageusement. Il me tourna le dos dans un mouvement étrange de gamin cabochard. Il avait maintenant sous les yeux le tableau qui dissimulait la porte du coffre-fort : le voilier, les Indiens nus, les Espagnols défilant dans le ciel.

– Si les Truttwell ont calomnié ma mère, je les attaquerai en diffamation!

– Ils n'ont rien fait de tel, monsieur Chalmers. Personne n'a noirci la mémoire de votre mère. Ce que je voudrais, c'est savoir qui s'est introduit dans cette maison en 1945.

Il fit volte-face.

– Ma mère ne connaissait sûrement pas ces individus. Elle ne fréquentait que la meilleure société californienne.

– Je n'en doute pas. Mais les cambrioleurs, eux, la connaissaient probablement et ils savaient sans doute qu'ils trouveraient quelque chose justifiant le risque de l'opération.

– Là, je peux vous répondre. Ma mère gardait son argent à la maison, habitude que lui avait léguée mon père en même temps que sa fortune. Je l'avais à maintes reprises pressée de le déposer à la banque, mais elle s'y était toujours refusée.

– Les voleurs ont-ils mis la main sur cet argent?

– Non, la somme était intacte quand je suis revenu après ma démobilisation. Mais ma mère était morte. Et Mme Truttwell aussi.

– Cela représentait-il une grosse somme?

– Oui, très importante. Plusieurs centaines de milliers de dollars.

– Quelle était l'origine de cette petite fortune?

– C'était l'héritage que lui avait laissé mon père, je vous le répète. (Il me décocha un pâle regard de défi comme si je me préparais à insulter à nouveau la mémoire de la disparue.) Insinueriez-vous que cet argent n'était pas à elle?

– Bien sûr que non. Oublions un peu votre mère, voulez-vous?

– Impossible! Sa pensée ne me quitte pas un seul instant, ajouta-t-il avec une sombre fierté.

Je refis une nouvelle tentative :

– Voici où je veux en venir. Deux cambriolages – ou, au moins, deux vols – ont eu lieu ici, dans cette pièce même, à vingt-trois ans d'écart. Or je pense qu'il y avait un lien entre eux.

– Comment cela?

– En raison des personnes impliquées.

Chalmers se rassit en face de moi et me dévisagea avec perplexité.

– Je crains de ne pas très bien saisir.

– Je veux tout simplement dire que les mêmes personnages, animés par les mêmes motifs, ont peut-être été mêlés à ces deux cambriolages. Nous savons qui a commis le dernier : votre fils Nick, qui y a été poussé par deux de ces personnes, Jean Trask et Sidney Harrow.

Il se pencha en avant et se prit le front dans la main. Son crâne dénudé miroitait, aussi désarmant qu'une tonsure.

– Est-ce qu'il les a assassinés?

– Je ne crois pas, mais je ne peux pas le prouver. Pas encore. Revenons-en à ces cambriolages. Nick a pris un coffret en or qui recelait vos lettres. (C'était à dessein que je ne prononçai pas le nom de sa mère.) Le véritable objet du vol était le contenant, pas le contenu. Mme Trask voulait ce coffret. Savez-vous pourquoi?

– Sans doute parce que c'était une voleuse.

– Pourtant, elle ne se considérait pas comme telle. Elle parlait sans détours de la cassette. Il semble que celle-ci avait appartenu à sa grand-mère et que, à la mort de cette dernière, son grand-père l'ait donnée à votre mère.

Le buste de Chalmers s'inclina davantage et ses doigts s'enfoncèrent dans ses cheveux.

– C'est à Mme Rawlinson que vous faites allusion?

– Bien sûr.

– Vous me mettez au supplice. Vous voilà en

train de dénaturer les rapports innocents entre un vieil homme et une femme d'âge mûr...

– Oublions ces relations.

– Non, je ne peux pas!

Il enfouit son visage dans le creux de ses bras.

– Je ne juge personne, monsieur Chalmers, et certainement pas votre mère. Simplement, il existait un lien entre elle et Samuel Rawlinson. Rawlinson était à la tête d'une banque, la Pasadena Occidental, qui a fait faillite à la suite d'un détournement de fonds à peu près à l'époque du cambriolage. On a accusé, et peut-être à juste titre, son gendre, Eldon Swain, d'être l'auteur de ces malversations. Toutefois, quelqu'un m'a laissé entendre que c'était peut-être M. Rawlinson qui avait lui-même dévalisé sa propre banque.

Il se redressa.

– Qui a insinué une chose pareille, au nom du ciel?

– Une des personnes impliquées dans l'affaire, un repris de justice du nom de Randy Shepherd.

– Et vous ajoutez foi aux déclarations d'un quidam de ce genre? Vous le laissez souiller la mémoire de ma mère?

– Qui a dit du mal d'elle?

– Voilà donc votre fameuse théorie! Allez-vous maintenant suggérer que ma mère était dépositaire de l'argent volé par ce débauché? C'est cela l'idée qui a germé dans votre cervelle dépravée?

Il voyait rouge et ses yeux larmoyaient. Se mettant debout, il battit des paupières et leva la main pour me gifler. Je n'eus guère de mal à lui bloquer le poignet. Et le lâchant aussitôt:

– Je crains que la discussion ne soit pas possible entre nous, monsieur Chalmers. Et vous m'en voyez désolé.

Je ressortis, remontai dans ma voiture et démar-

rai en direction de l'autoroute. Une nappe de
brouillard gris flottait encore au pied de la ville.

28

Loin de la côte, à Pasadena, le soleil était brûlant.
Des enfants jouaient dans la rue devant la maison
de Mme Swain. La Cadillac de Truttwell, arrêtée au
bord du trottoir, les attirait comme un aimant.

Assis au volant, l'avocat compulsait des papiers
d'affaires. Il leva la tête et me lança un regard
irrité.

— Vous y avez mis le temps!

— J'ai eu un imprévu. Et puis, je ne peux pas me
permettre de rouler en Cadillac.

— Et moi, je ne peux pas me permettre de perdre
des heures à attendre. Cette femme avait dit qu'elle
serait là à midi.

Je consultai ma montre : il était midi et demi.

— Mme Swain vient-elle de San Diego par la
route?

— Je le suppose. Je lui donne jusqu'à 1 heure.

— Peut-être qu'elle a eu des ennuis avec sa voiture. C'est un vieux tacot. Espérons qu'il ne lui est
rien arrivé de fâcheux.

— Pensez-vous!

— J'aimerais partager votre assurance. Le princi-
pal suspect de l'assassinat de sa fille a été vu cette
nuit à Hemet. Il se dirigeait apparemment vers
Pasadena à bord d'une voiture volée.

— Qui est-ce?

— Randy Shepherd, un repris de justice qui était
autrefois au service de Mme Swain et de son
mari.

Cela ne parut guère passionner Truttwell qui se replongea dans ses papiers. D'après ce que je pouvais voir, il s'agissait de photocopies des statuts de quelque chose qui s'appelait la Fondation Smitheram. Je demandai à Truttwell ce que c'était : il ne daigna ni me répondre ni même lever les yeux. Irrité par ce manque de savoir-vivre, j'allai chercher les lettres de Chalmers dans ma voiture.

– Vous ai-je dit que j'ai récupéré les lettres ? lui demandai-je nonchalamment.

– Celles de Chalmers ? Vous savez très bien que vous ne m'en avez pas parlé. Où les avez-vous trouvées ?

– Dans l'appartement de Nick.

– Je n'en suis pas autrement surpris. Voyons un peu cela.

Je m'assis à côté de lui et lui tendis l'enveloppe. Il l'ouvrit, et en examina le contenu.

– On dirait le passé qui ressuscite. Ces lettres étaient toute la vie d'Estelle Chalmers, vous savez. Les premières ne valaient pas grand-chose pour autant que je m'en souvienne, mais le style épistolaire de Larry s'est amélioré avec la pratique.

– Vous les avez lues ?

– J'en ai parcouru quelques-unes. Estelle m'y a obligé. Elle était tellement fière de son jeune héros. (Il y avait une imperceptible trace d'ironie dans sa voix.) Vers la fin, quand elle eut complètement perdu la vue, elle nous demandait à ma femme et à moi de les lui lire à haute voix au fur et à mesure qu'elle les recevait. Nous avons essayé de la convaincre d'engager une dame de compagnie, mais elle ne voulait rien savoir. Estelle avait un sens aigu du respect de sa vie privée qui ne faisait que se renforcer à mesure qu'elle vieillissait. C'était avant tout sur les épaules de ma femme que retombait le soin de s'occuper d'elle. Je n'aurais pas dû laisser ma jeune épouse accepter ce fardeau, ajouta-t-il avec un regret tranquille avant de retomber dans un silence que je brisai en lui demandant :

– De quoi souffrait Mme Chalmers?

– Je crois qu'elle était atteinte d'un glaucome.

– Elle n'est pas morte du glaucome!

– Non. A mon sens, elle est morte de chagrin, à cause de ma femme. Elle ne mangeait plus, elle avait renoncé à tout. J'ai pris la liberté de faire venir un médecin contre ses vœux. Couchée dans son lit, le visage tourné vers le mur, elle ne l'a pas laissé l'examiner ni même la regarder. Et elle n'a pas voulu que je tente de faire revenir Larry qui était au front.

– Pourquoi?

– Elle prétendait, contre toute évidence, qu'elle se portait à merveille. Pour moi, elle souhaitait mourir seule, loin des regards. Estelle avait été très belle et elle a conservé un peu de son ancienne beauté presque jusqu'à la fin. En outre, en vieillissant, elle était devenue un peu avare. La quantité de vieilles dames qui deviennent grippe-sous vous étonnerait. Faire venir un docteur, engager une infirmière lui paraissait quelque chose d'horriblement extravagant. En fait, elle a réussi à me convaincre qu'elle était dans la gêne. Mais naturellement, elle n'a jamais manqué de rien. Je me souviendrai toujours du lendemain de ses obsèques. Larry avait finalement été démobilisé après les habituelles complications administratives et il est arrivé deux jours plus tard. Mais le syndic du comté a tenu à visiter la maison sans attendre. Appartenant au monde de la magistrature, il connaissait Estelle depuis toujours et devait, j'imagine, savoir ou se douter qu'elle gardait son argent chez elle, comme le juge Chalmers. En outre, il y avait eu la tentative de cambriolage. Si j'avais été en pleine possession de mes moyens, j'aurais regardé dans le coffre aussitôt. Mais j'avais mes soucis personnels.

– La mort de votre femme... c'est à cela que vous faites allusion ?

– La perte de mon épouse était, bien entendu, le désastre majeur. Elle me laissait avec la responsabilité d'un enfant en bas âge. Une responsabilité dont je ne me suis pas tellement bien sorti, conclut-il avec une franchise qui faisait mal.

– C'est du passé. A présent, Betty est une adulte. C'est à elle de faire ses propres choix.

– Mais je ne peux la laisser épouser Nick Chalmers !

– Elle le fera si vous vous obstinez à répéter ce refrain.

Il se tut à nouveau. Il semblait enfin rattraper de grands pans du passé. Quand je lus dans ses yeux qu'il revenait enfin au présent, je repris la parole.

– Avez-vous une idée de l'identité des meurtriers de votre femme ?

Il secoua sa tête blanche.

– La police n'a pas réussi à trouver un seul suspect.

– Quelle est la date de sa mort ?

– Le 3 juillet 1945.

– Comment cela s'est-il passé au juste ?

– Hélas, je ne le sais pas exactement. Estelle Chalmers était le seul témoin, mais elle était aveugle et elle n'a rien vu. Apparemment, ma femme s'est aperçue qu'il se passait quelque chose d'anormal chez les Chalmers et elle est allée se rendre compte sur place. Les voleurs l'ont poursuivie dans la rue et leur voiture l'a écrasée. En réalité, elle n'était pas à eux – c'était une voiture volée. La police l'a retrouvée au milieu des joncs dans les marais de San Diego. On a relevé sur le pare-chocs des traces prouvant irréfutablement qu'elle avait servi à tuer mon épouse. Les assassins ont sans doute passé la frontière. (Le front de Truttwell était moite de transpiration. Il s'épongea à l'aide d'un mouchoir de soie.) Je crains de ne pouvoir rien vous dire de plus sur les événements de cette nuit-là. J'étais à Los Angeles pour affaires et je suis rentré très tard dans la nuit. Ma femme était à la morgue et ma petite fille avait été confiée aux soins d'une assistante de police.

Sa voix se cassa et, l'espace d'un éclair, j'entrevis la vérité profonde de l'avocat. Un noyau de douleur si dévorant qu'il absorbait toute l'énergie de sa vie extérieure de sorte que l'homme paraissait plus petit qu'il n'était ou qu'il n'avait été autrefois.

– Je suis désolé, monsieur Truttwell, mais il fallait que je vous pose ces questions.

– Je ne vois d'ailleurs pas très bien à quoi elles correspondent.

– Moi non plus... pas encore. Quand je vous ai interrompu, vous vous apprêtiez à me parler du syndic qui a visité la maison.

– Effectivement. C'est moi qui lui ai ouvert en tant que représentant de la famille. J'ai également ouvert le coffre dont Estelle m'avait confié la combinaison quelque temps auparavant. Et, évidemment, il était bourré d'argent.

– Combien y avait-il?

– Je ne me rappelle pas le chiffre exact, mais cela s'élevait certainement à des centaines et des centaines de milliers de dollars. Il a fallu presque toute la journée au syndic pour faire le compte et pourtant il y avait jusqu'à des billets à cinq chiffres.

– Savez-vous d'où provenait ce pactole?

– En partie de l'héritage du juge Chalmers, sans doute. Mais Estelle était encore très jeune quand elle est devenue veuve et je ne trahirai aucun secret en disant qu'il y a eu d'autres hommes dans sa vie

210

dont un ou deux avaient connu une très belle
réussite. Je suppose que c'est d'eux qu'elle tenait cet
argent ou qu'ils lui ont appris à faire fructifier sa
fortune.

– Ou comment la soustraire au fisc?

L'avocat s'agita, mal à l'aise.

– Il me paraît bien inutile d'agiter cette question.
Tout cela est tellement ancien...

– Pour moi, cela me fait l'impression d'être très
proche.

– Si vous tenez à le savoir, il y a prescription
fiscale, fit-il avec irritation. J'ai obtenu des autorités
que les droits de succession soient calculés sur
l'ensemble patrimonial. L'origine de ces fonds était
invérifiable.

– C'est précisément leur source qui m'intéresse.
Je crois savoir que Rawlinson, qui possédait la
Pasadena Occidental, a été l'un des hommes auxquels vous faisiez allusion tout à l'heure à propos
des liaisons qu'a eues Mme Chalmers mère.

– Oui, et cela a duré de longues années. Mais
c'était longtemps avant la mort d'Estelle.

– Pas si longtemps que cela. Dans l'une de ces
lettres, écrite au cours de l'automne 1943, Larry
demandait à sa mère de le rappeler au bon souvenir
de Rawlinson. Donc, elle le voyait encore à cette
époque.

– Vraiment? Et quels étaient les sentiments de
Larry à l'égard de Rawlinson?

– Sa lettre ne les évoquait pas.

J'aurais pu fournir une réponse plus complète à
Truttwell, mais j'avais décidé de passer sous silence
mon entrevue avec Chalmers, au moins pour le
moment, sachant que mon interlocuteur l'eût
désapprouvée.

– Où voulez-vous en venir, Archer? Vous n'insinuez quand même pas que l'argent de Mme Chalmers provenait de Rawlinson?

Sur ces entrefaites, comme s'il avait fermé un circuit en pressant sur un bouton, le téléphone sonna dans le salon de Mme Swain. Dix fois de suite. Puis il se tut.

– La paternité de cette idée vous appartient.

– Je me suis borné à évoquer de façon générale les hommes qui sont entrés dans la vie d'Estelle et je n'ai pas monté Samuel Rawlinson en épingle. Vous savez parfaitement que le détournement de fonds dont il a été victime l'a ruiné.

– C'est la banque qui a été ruinée.

Il eut une grimace étonnée.

– Vous ne voulez pas dire qu'il a lui-même été l'auteur de cette malversation?

– C'est une hypothèse qui a été avancée.

– Sérieusement?

– Que voulez-vous que j'en sache? Je la tiens de Randy Shepherd et c'est Eldon Swain qui l'a émise, ce qui ne la rend pas nécessairement vraie.

– Comme vous dites! Il est avéré que Swain s'est enfui avec l'argent.

– Il est avéré qu'il s'est enfui. Mais la vérité n'est pas toujours aussi simple. En fait, elle est en général aussi compliquée que les gens qui la fabriquent. On peut envisager, par exemple, que Swain a volé une certaine somme, que Rawlinson s'en est aperçu et qu'il a pris beaucoup plus. Il aurait alors utilisé le coffre de Mme Chalmers comme cachette, mais elle serait morte avant qu'il n'ait pu récupérer l'argent.

Il me dévisagea, à la fois consterné et curieux.

– Vous avez l'imagination tortueuse, Archer. A quelle date a eu lieu le détournement?

Je consultai mon petit carnet noir.

– Le 1er juillet 1945.

– Tout juste quinze jours avant la mort d'Estelle Chalmers. Cela réduit votre théorie à néant.

– Croyez-vous ? Rawlinson ignorait qu'elle allait mourir. Peut-être avaient-ils projeté de partir quelque part avec le magot et de vivre ensemble.

– Un vieil homme et une aveugle ? C'est ridicule !

– Cela n'élimine nullement cette possibilité. Les gens font toujours des choses ridicules. D'ailleurs, Rawlinson n'était pas tellement vieux en 1945. Il avait à peu près l'âge que vous avez actuellement.

Il rougit. Son âge était un sujet tabou.

– Je vous conseille de ne faire part à personne de cette théorie extravagante. Il vous attaquerait en diffamation. (Il me décocha à nouveau un regard intrigué.) Vous ne pensez pas tellement de bien des banquiers, n'est-ce pas ?

– Les banquiers sont comme tout le monde, mais on ne peut nier qu'une proportion élevée de banquiers sont des escrocs.

– L'occasion fait le larron, voilà tout.

– Exactement.

Le téléphone grelotta encore à l'intérieur. Je comptai quatorze sonneries avant que le silence ne retombe. Ma sensibilité était exacerbée et j'avais l'impression que la maison essayait de me dire quelque chose.

Il était 1 heure. Truttwell descendit de voiture et se mit à arpenter le trottoir fendillé. Un gamin aux allures de clown lui emboîta le pas en le singeant jusqu'au moment où l'avocat le chassa. Je repris les lettres, les enfermai à clé dans l'étui de métal dont je me servais pour ranger les pièces à conviction et que je plaçais dans le coffre de ma voiture.

Lorsque je me redressai, je vis arriver la vieille Volkswagen noire de Mme Swain qui s'engagea sur l'une des bandes de béton constituant son allée.

Quelques enfants lui dirent bonjour en agitant les bras.

Elle mit pied à terre et s'approcha de nous en foulant l'herbe rousse de janvier. Elle avait de hauts talons et une robe entravée qui rendait sa démarche maladroite. Je lui présentai Truttwell : ils se serrèrent la main avec raideur.

– Je suis vraiment désolée de vous avoir fait attendre, dit-elle. Un policier est arrivé chez mon gendre juste au moment où j'allais partir et il m'a interrogée pendant plus d'une heure.

– A quel sujet ? demandai-je.

– Il a été question de plusieurs choses. Il voulait une biographie complète de Randy Shepherd depuis l'époque où nous l'avions comme jardinier à San Marino. Il semblait penser que je serais la prochaine victime de Randy. Mais je n'ai pas peur de lui et je ne crois pas que ce soit lui l'assassin de Jean.

– Sur qui se portent vos soupçons ?

– Mon mari aurait été capable de faire le coup, s'il est vivant.

– Nous avons la quasi-certitude qu'il est mort, madame Swain.

– Dans ce cas, qu'est devenu l'argent ? fit-elle en se penchant vers moi, les mains tendues comme une mendiante affamée.

– Personne ne le sait.

Elle me secoua le bras.

– Il faut que nous le retrouvions. Si vous le récupérez, je vous en donnerai la moitié.

Un hurlement strident me vrilla le crâne et, sur le moment, je crus que c'était la proposition de cette pauvre femme qui avait provoqué une déplorable réaction de ma part. Puis je me rendis compte que je n'y étais pour rien : c'était le coup de fouet cinglant d'une sirène qui fouaillait la ville. Le son

214

gagna en volume, mais il était encore lointain et cela n'avait rien à voir avec nous.

Un autre son, plus proche, s'éleva, venant du boulevard : un miaulement de pneus qui dérapent. Une Mercury noire à la capote baissée s'engagea dans la petite rue, faisant s'égailler les enfants comme une poignée de confetti et ce fut tout juste si elle n'en renversa pas quelques-uns.

Le conducteur était glabre et sa chevelure d'un roux ardent avait l'air artificielle. Néanmoins, je reconnus Randy Shepherd. Et il me reconnut aussi. Il continua sa route et tourna au coin de la rue. Une voiture de police surgit un instant à ma vue à l'extrémité opposée du bloc. Sans s'arrêter, elle poursuivit son chemin à toute vitesse en direction du boulevard.

Je me lançai à la poursuite de Shepherd, mais c'était sans aucun espoir. Il était en terrain familier et la Mercury volée était plus rapide que mon auto que j'avais presque fini de payer. A un moment donné, je l'entr'aperçus de loin alors qu'elle traversait un pont. La chevelure flamboyante de Shepherd étincelait comme une ampoule rouge.

29

Je me retrouvai dans une rue en cul-de-sac : il y avait une barrière au delà de laquelle s'ouvrait un profond ravin. Je coupai le moteur et cherchai à m'orienter.

A peu près à la même hauteur que moi, un faucon à la queue amarante décrivait des cercles au-dessus des arbres, chênes rabougris et sycomores qui escortaient un invisible ruisseau. Au bout de quelques instants, je compris que c'était le même ravin qui coupait Locust Street, la rue de Rawlinson. Mais j'étais du côté opposé, face à l'ouest. Je repartis et finis par rattraper Locust Street. La première chose qui me sauta aux yeux en approchant fut une Mercury noire à la capote baissée qui stationnait à quelque distance de la maison de Rawlinson. Les clés étaient au tableau de bord, je les attrapai au passage et les fourrai dans ma poche.

Je me garai devant la demeure de l'ancien banquier, puis gravis précautionneusement l'escalier menant à la terrasse non sans trébucher sur la marche fendue. Mme Shepherd m'ouvrit et porta un doigt à ses lèvres. L'anxiété se lisait dans son regard.

— Ne faites pas de bruit, m'ordonna-t-elle dans un souffle. M. Rawlinson se repose.

— J'aimerais vous parler une minute.

— Pas maintenant. Je suis occupée.

— J'arrive à l'instant de Pacific Point.

Elle me regarda bouche bée. Sans me quitter des yeux, elle referma silencieusement la porte et sortit sur la véranda.

— Quoi de neuf à Pacific Point?

Cela sonnait comme une question banale, mais l'interrogation remplaçait probablement toutes les autres questions précises qu'elle n'osait poser. C'était comme si, en dépit de son âge, elle s'embourbait à nouveau dans toutes les incertitudes de la jeunesse.

— Rien de bien nouveau, répondis-je. Les tuiles pleuvent sur tout le monde. Et je crois bien que c'est avec ceci que tout a commencé.

Je lui tendis la reproduction de la photo de promotion de Nick que j'avais retrouvée dans la poche de Sidney Harrow. Elle l'examina, hochant la tête.

216

– Je ne sais pas qui c'est.

– Vous en êtes certaine?

– Tout à fait. Je n'ai jamais vu ce jeune homme de ma vie, ajouta-t-elle d'une voix solennelle.

Je la crus presque. Mais elle avait oublié de me demander de qui il s'agissait.

– Il se nomme Nick Chalmers. Ç'aurait dû être sa photo de promotion, mais il ne recevra pas son diplôme.

Ce furent ses yeux et non sa bouche qui demandèrent : « Pourquoi? »

– Nick est à l'hôpital. Il a tenté de se tuer. Les ennuis ont commencé, pardonnez-moi si je me répète, quand un certain Sidney Harrow est arrivé et s'est lancé à sa recherche. Il avait apporté cette photo.

– Où l'avait-il trouvée?

– C'est Randy Shepherd qui la lui a donnée.

Sa pâleur sous-jacente lui faisait un visage presque gris.

– Pourquoi me racontez-vous cela?

– Il est visible que ça vous intéresse, répliquai-je sans me départir de mon flegme. Randy est-il dans la maison?

Elle leva involontairement les yeux, d'où je conclus qu'il se trouvait probablement en haut, mais elle garda le silence.

– Je suis sûr qu'il est là, madame Shepherd. A votre place, je ne chercherais pas à le couvrir. Il a la police aux trousses et ces messieurs vont se pointer d'une minute à l'autre.

– Qu'est-ce qu'ils lui veulent, cette fois?

– Il est recherché pour meurtre. Sur la personne de Jean Trask.

– Il ne m'a pas dit cela, gémit-elle.

– Est-il armé?

– Il a un couteau.

– Pas de revolver?

– Je n'ai pas remarqué. (Elle posa la main sur ma poitrine.) Vous êtes certain que c'est Randy qui a donné la photo à l'autre... à l'homme qui est allé à Pacific Point?

– J'en ai maintenant la conviction, madame Shepherd.

– Eh bien, il peut aller rôtir en enfer!

Et elle commença de descendre l'escalier.

– Où allez-vous?

– Chez la voisine pour téléphoner à la police.

– Si j'étais vous, je ne ferais pas cela, madame Shepherd.

– Vous, peut-être, mais, moi, il m'a assez fait souffrir comme cela. Toute ma vie! Je ne veux pas aller en prison pour ses beaux yeux.

– Laissez-moi lui parler.

– Non! C'est de ma propre tête qu'il s'agit. Je vais prévenir la police.

Et elle se remit en marche.

– Pas si vite! Il faut d'abord faire sortir M. Rawlinson. Où Randy se cache-t-il?

– Dans le grenier. M. Rawlinson est dans le salon.

Elle rentra dans la maison et aida le vieil homme à sortir. Il boitillait, bâillait et le soleil le faisait cligner des yeux. Je le fis asseoir dans ma voiture et le conduisis jusqu'à la barrière qui fermait la rue. A l'heure actuelle, la police a une puissance de feu considérable.

Il me jeta un coup d'œil irrité.

– J'avoue ne pas très bien comprendre ce que nous faisons ici.

– Ce serait trop long à vous expliquer. Disons, pour simplifier, que nous arrivons au dénouement de l'affaire qui a commencé en juillet 1945.

– Quand Eldon Swain m'a dépouillé?

– Oui, si toutefois Eldon Swain était bien le coupable.

Il tourna la tête vers moi. La chair de son cou se fronça en une multitude de plis flasques.

– Y aurait-il des doutes sur sa culpabilité?

– Ça se pourrait.

– Mais c'est grotesque! C'était lui le caissier. Qui d'autre aurait pu détourner tout cet argent?

– Vous, par exemple, monsieur Rawlinson.

Au fond des rides dont le réseau les emprisonnait, ses yeux se rétrécirent et flamboyèrent.

– Vous plaisantez?

– Non. Mais je reconnais qu'il y a une bonne part d'hypothèse dans cette manière... de voir les choses.

– Mais c'est de la calomnie! s'exclama-t-il d'une voix qui manquait un peu de chaleur. Est-ce que j'ai l'air d'un homme capable de conduire à la ruine la banque qu'il dirigeait?

– Non... A moins que vous n'ayez eu une raison puissante.

– Je ne vois pas laquelle.

– Une femme.

– Quelle femme?

– Estelle Chalmers. Elle est morte riche.

Il feignit la colère:

– Vous êtes en train de salir la mémoire d'une femme remarquable!

– Ce n'est pas mon avis.

– C'est le mien. Et si vous continuez, je refuse de poursuivre cette conversation.

Il voulut descendre de la voiture.

– Je vous conseille de ne pas bouger, monsieur Rawlinson. Rentrer chez vous serait dangereux. Randy Shepherd est caché dans votre grenier et la police ne va pas tarder à arriver.

– Mme Shepherd l'a laissé entrer?

– Je ne pense pas qu'elle ait eu le choix. (Je ressortis la photo de Nick et la lui mis sous le nez.) Savez-vous qui est ce garçon?

Il prit la photo dans ses doigts gonflés d'arthritique.

– Je ne connais pas son nom. Evidemment, je pourrais essayer de deviner, mais ce n'est pas ce que vous voulez.

– Allez-y quand même.

– C'est quelqu'un qui touche de près Mme Shepherd. Quelqu'un qui lui est cher. J'ai vu cette photo dans sa chambre au début de la semaine dernière. Et puis elle a disparu et Mme Shepherd m'a accusé de l'avoir subtilisée.

– Elle aurait dû s'en prendre à Randy. C'est lui qui l'a prise.

Je récupérai le cliché que je glissai dans ma poche intérieure.

– Eh bien, ça lui apprendra à introduire cet individu chez moi! (Sa colère sénile se noyait dans ses yeux.) Vous disiez que la police allait venir? Qu'est-ce que Randy a encore fait?

– Il est recherché pour meurtre. On l'accuse d'avoir assassiné votre petite-fille, Jean.

Il s'affala un peu plus sur le siège : ce fut sa seule réaction.

Cet homme me faisait pitié. Il avait eu tout et il avait à peu près tout perdu, morceau par morceau. Maintenant, il allait enterrer sa petite-fille. Je contemplai le ravin comme si je pouvais me débarrasser de ma mélancolie d'emprunt au milieu de cette verte étendue. Le faucon à la queue amarante que j'avais aperçu tout à l'heure sur l'autre versant était visible de ce côté-ci. Il décrivait toujours des cercles dans les airs et ses plumes aux éclats roux étincelaient dans le soleil.

– Vous étiez au courant de la mort de Jean, monsieur Rawlinson?

– Oui. Louise – ma fille – m'a téléphoné hier. Mais elle ne m'a pas dit que Shepherd était le coupable.

– Je ne pense pas qu'il le soit.

– Alors, qu'est-ce que c'est que cette histoire?

– La police, elle, croit que c'est lui qui a fait le coup.

Comme je prononçai ces mots, Randy Shepherd sortit de la maison, à croire qu'il avait entendu que nous parlions de lui, et il se tourna vers nous. Il était coiffé d'un panama orné d'un ruban à rayures et portait une veste de polo fauve mangée des mites.

– Eh là! s'exclama Rawlinson. Mais c'est mon chapeau! Diable! Et c'est aussi ma veste!

Il voulut descendre, mais je lui ordonnai de ne pas bouger sur un tel ton qu'il m'obéit.

Shepherd avait pris un pas de flâneur, tel un honnête citoyen qui a envie de faire une petite promenade hygiénique. Soudain, il s'élança et s'engouffra dans la Mercury en tenant d'une main son chapeau trop grand pour lui. Pendant une bonne minute, il chercha frénétiquement ses clés de contact. Finalement, il mit pied à terre et s'éloigna en direction de l'autoroute.

A ce moment, mugirent au loin des sirènes dont le hululement semblait figer la lumière. Shepherd s'arrêta net et resta immobile, tendant l'oreille. Puis il fit demi-tour, ralentissant devant la maison de Rawlinson comme s'il était tenté de s'y réfugier.

Mme Shepherd apparut au haut du porche. Déjà, deux voitures de police s'étaient engagées dans la rue. Elles avançaient dans sa direction. Il se retourna, puis son regard balaya les façades des demeures victoriennes. Subitement, il s'élança à toutes jambes, droit sur moi. Son chapeau s'envola. Les pans de sa veste flottaient derrière lui.

Je descendis de voiture pour lui barrer le chemin. Mauvais réflexe : les deux véhicules de patrouille freinèrent brutalement, vomissant quatre policiers qui se mirent à canarder le fugitif.

Shepherd tomba face contre terre. Il roula légèrement sur lui-même. Des taches s'épanouirent sur sa nuque et sur le dos de sa veste, plus sombres et plus réelles que sa perruque rouge qui avait glissé de côté.

Une balle m'atteignit à l'épaule. Je me laissai glisser contre la portière ouverte de ma voiture : étendu de tout mon long, je feignais d'être aussi mort que Randy Shepherd.

30

Je me réveillai bourré de penthotal dans une chambre d'hôpital de Pasadena. Le chirurgien avait extrait la balle, mais j'aurais le bras immobilisé pour quelque temps.

Heureusement, c'était l'épaule gauche, comme me le firent remarquer à maintes reprises les inspecteurs et les émissaires du district attorney qui me rendirent visite en fin d'après-midi. Les premiers me prièrent d'excuser cet incident tout en me laissant entendre que c'était bel et bien moi qui étais entré en collision avec le projectile. Ils me proposèrent leurs services et acceptèrent de faire ramener ma voiture au parking de l'hôpital.

Après leur départ, j'étais à la fois furieux et soucieux. J'avais l'impression d'avoir été écarté de l'affaire. Il y avait un téléphone à côté de moi :

j'appelai Truttwell. La gouvernante me répondit que ni l'avocat ni Betty n'étaient à la maison. J'appelai le cabinet et laissai mon nom et le numéro du service des messages auquel j'étais abonné.

Plus tard, quand la nuit tomba, je me levai. La tête me tournait un peu, mais ce qui me tracassait, c'était mon petit calepin noir. Ma veste était dans la penderie avec tous mes vêtements. Elle était tachée de sang et la balle y avait fait un accroc, mais le carnet était toujours à sa place dans la poche, de même que la photo de Nick.

Comme je regagnais mon lit, le plancher bascula soudain et me flanqua un grand coup sur la tempe. Je perdis connaissance. Quand je me réveillai, j'étais assis par terre, adossé au montant du lit.

L'infirmière de nuit entra. Elle était mignonne et zélée. C'était une Mlle Cowan.

– Mais qu'est-ce que vous fabriquez là ? s'exclama-t-elle.

– Je suis assis par terre.

– En voilà des idées !

Elle m'aida à me relever et à regagner mon lit.

– J'espère que vous ne cherchiez pas à vous sauver !

– Non, mais ce n'est pas une mauvaise suggestion. A votre avis, quand est-ce que je pourrai prendre le large ?

– C'est le docteur qui décidera. Il vous le dira peut-être demain matin. Vous sentez-vous en état de recevoir une visite ?

– Tout dépend de qui.

– C'est une dame d'un certain âge, Mme Shepherd. Est-elle parente du Shepherd qui...

Pleine de tact, elle laissa la question en suspens.

– Oui.

Tout à l'heure, le penthotal me surexcitait : maintenant, j'étais au creux de la vague. Néanmoins, je priai l'infirmière de faire entrer Mme Shepherd.

– Vous ne craignez pas qu'elle cherche à vous attirer des histoires?

– Non, ce n'est pas le genre.

Mlle Cowan s'éclipsa. Peu après, Mme Shepherd lui succéda. Une pâleur grise, telle semblait être désormais la caractéristique de son teint. Ses yeux étaient dilatés, comme distendus par les événements dont ils avaient été témoins.

– Je suis navrée que vous vous soyez fait blesser, monsieur Archer.

– Je n'en mourrai pas. Ce pauvre Randy! Quelle tristesse!

– Ce n'est une perte pour personne. C'est ce que je viens de dire à la police et je n'hésite pas à le répéter. C'était un mauvais mari, un mauvais père et il a eu une mauvaise fin.

– Cela fait beaucoup de mauvaises choses!

– Je sais de quoi je parle, fit-elle avec solennité. J'ignore s'il a tué Mlle Jean ou pas, mais je sais ce qu'il a fait à sa propre fille. Il a saccagé sa vie et est responsable de sa mort.

– Rita est morte?

Elle me regarda avec étonnement.

– Comment savez-vous le nom de ma fille?

– J'ai dû l'entendre prononcer par quelqu'un. Par Mme Swain, sans doute.

– Mme Swain ne l'aimait pas. Selon elle, tout ce qui était arrivé était de sa faute. C'était injuste. Rita était encore impubère quand M. Swain a commencé à s'intéresser à elle. Et son père s'est fait proxénète. Il l'a vendue à M. Swain.

Les mots se bousculaient dans sa bouche. On eût dit que la mort de Shepherd avait ouvert une profonde faille volcanique d'où s'échappait la lave.

224

– Rita est partie pour le Mexique avec Swain?

– Oui.

– Et elle est morte là-bas?

– Oui.

– Comment le savez-vous, madame Shepherd?

– C'est M. Swain lui-même qui me l'a dit. Il est venu me voir, conduit par Randy, à son retour du Mexique. Il m'a annoncé qu'elle était morte et qu'on l'avait enterrée à Guadalajara.

– A-t-elle laissé des enfants?

Ses yeux sombres se brouillèrent, mais son regard ne vacilla pas quand il croisa le mien.

– Non: Je n'ai pas de petits-enfants.

– Qui est le jeune homme de la photo?

– La photo? répéta-t-elle, feignant l'étonnement.

– Si vous voulez vous rafraîchir la mémoire, ouvrez la penderie. Vous la trouverez dans la poche de ma veste.

Elle se tourna vers la porte de la penderie et je repris :

– Il s'agit de la photo qui était dans votre chambre et que Randy Shepherd vous a subtilisée.

Cette fois, sa surprise fut sincère :

– Comment êtes-vous au courant? Comment se fait-il que vous ayez fouillé ainsi dans mes affaires de famille?

– Vous le savez parfaitement, madame Shepherd. Je m'efforce de tirer au clair une vieille affaire qui a commencé il y a près de vingt-cinq ans. Le 1er juillet 1945, pour être précis.

Elle cilla, mais à part cet infime battement de paupières, ses traits avaient recouvré leur immobilité.

– C'est ce jour-là que M. Swain a pillé la banque de M. Rawlinson.

– Les choses se sont-elles vraiment passées de cette façon?

– Vous aurait-on donné une autre version?

– J'ai découvert certains petits indices qui semblent en contradiction avec cette explication et je me demande si Eldon Swain a jamais eu cet argent entre les mains.

– Si ce n'est pas lui, qui s'en serait emparé?

– Votre fille Rita, par exemple.

Elle réagit avec colère, mais pas assez, cependant, à mon avis.

– En 1945, elle avait seize ans. Les enfants ne dévalisent pas les banques. Vous savez parfaitement que le coupable ne pouvait être que quelqu'un de la maison.

– Comme M. Rawlinson?

– Ce que vous dites est ridicule, vous le savez très bien.

– Je voulais seulement voir comment vous réagiriez.

– C'était plus qu'un ballon d'essai. Je ne comprends vraiment pas pourquoi vous vous acharnez à blanchir le sépulcre de M. Swain. Je sais que c'est lui qui a volé cet argent et pas M. Rawlinson. Allons donc! Il a tout perdu, ce pauvre homme! Depuis, il est dans le besoin.

– Quels sont ses moyens d'existence?

– Il a une petite pension, répondit-elle calmement, et je possède des économies. J'ai longtemps été aide-soignante. C'est ainsi que j'ai pu l'aider à tenir.

Cela avait l'air d'être la vérité. En tout cas, je ne pouvais m'empêcher d'ajouter foi à ses dires.

Elle me regardait plus aimablement, à présent, comme si nos relations s'étaient modifiées. Elle effleura mon épaule bandée du bout des doigts.

– Vous avez besoin de repos, mon pauvre ami. Vous ne devriez pas vous mettre martel en tête de cette façon. Vous n'êtes pas fatigué?

Force me fut d'avouer que je l'étais.

– Alors, pourquoi ne feriez-vous pas un petit somme?

Son ton était soporifique. Elle posa sa main sur mon front.

– Si vous n'y voyez pas d'inconvénient, je vais rester un moment pour vous veiller. J'aime l'odeur des hôpitaux. Et j'ai travaillé dans celui-là.

Elle s'installa dans le fauteuil entre la penderie et la fenêtre. Les coussins en simili craquèrent sous son poids.

Je fermai les yeux et me mis à respirer plus lentement, mais j'étais bien loin d'avoir envie de m'endormir. Je tendais l'oreille. Mme Shepherd ne faisait pas un mouvement. Des bruits me parvenaient – grondements de moteurs, arpèges d'un oiseau moqueur qui se mettait en voix avant d'y aller de sa sérénade. Mais le chant ne venait pas et mes nerfs tendus à se rompre vibraient.

Les coussins en simili grincèrent presque imperceptiblement. Puis ce furent un chuintement quasi inaudible de semelles sur le sol carrelé, le cliquetis d'une serrure, le double soupir d'une porte qui s'ouvrait et se refermait.

J'ouvris les yeux. Mme Shepherd était invisible. Apparemment, elle s'était enfermée dans le petit vestiaire. Bientôt, la porte de celui-ci s'écarta lentement. La gouvernante de M. Rawlinson surgit de biais et approcha la photo de Nick de la lumière, une expression d'amour peinte sur les traits. D'amour et de mélancolie.

Elle se tourna vers moi et vit que j'avais les yeux ouverts. Mais elle cacha la photo sous son manteau et, sans un mot, sortit d'un pas tranquille.

Je ne dis rien, ne fis rien. Après tout, la photo lui appartenait. J'éteignis. L'oiseau moqueur chantait à pleine gorge maintenant. Il chantait encore lorsque je m'endormis. Je rêvai que j'étais Nick, que Mme Shepherd était ma grand-mère et qu'elle vivait avec les oiseaux dans le jardin de Contra Costa.

31

J'étais en train de m'expliquer avec un œuf poché étalé sur une tranche de pain mollassonne quand le chirurgien entra.

– Comment vous sentez-vous?

– Très bien, mentis-je. Mais, à ce régime, je ne recouvrerai jamais mes forces. Quand pourrai-je sortir?

– Vous êtes bien pressé! Vous aurez besoin de ménagements pendant au moins une semaine.

– Je ne peux pas rester ici une semaine.

– Je n'ai pas dit que vous deviez rester. Mais il va falloir que vous vous surveilliez. Des heures réguliè-res, un petit peu d'exercice coupé de repos, rien de violent.

– C'est entendu.

Je m'astreignis scrupuleusement à me reposer toute la matinée. Truttwell ne se manifestait pas. L'attente finit par m'agacer et eut raison de ma volonté de farniente. Un peu avant midi, je rappelai le bureau de l'avocat. Il n'était pas là, m'informa la standardiste.

– C'est vrai?

– Absolument. Je ne sais pas où il est.

Nouveau repos, nouvelle attente. Un motard de la police vint m'apporter mes clés de voiture et m'in-diqua à quel endroit du parking elle se trouvait. Je vis dans cette visite un présage.

Je déjeunai tôt et, mon repas terminé, je me levai

et m'habillai autant que faire se pouvait. Lorsque j'eus enfilé mes sous-vêtements, mon pantalon et mes chaussures, j'étais en sueur et je tremblais de la tête aux pieds. Je passai tant bien que mal ma chemise tachée de sang sur mes épaules et la dissimulai sous ma veste.

Dans le couloir, infirmières et filles de salle s'affairaient encore avec les plateaux du déjeuner. J'avisai une porte métallique peinte en gris. Elle donnait sur l'escalier de secours : je descendis les trois étages.

Une sortie latérale débouchait sur le parking. Une fois que j'eus retrouvé ma voiture, je m'assis quelques instants pour récupérer. Un petit peu d'exercice coupé de repos...

On roulait mal sur l'autoroute, la circulation était dense. J'avais beau me concentrer, serrer mon volant à pleines mains, mon style de conduite laissait à désirer. Constamment, mes pensées s'envolaient et, à un moment, je dus freiner à mort en laissant de la gomme pour ne pas emboutir la voiture qui me précédait.

Mon intention initiale avait été de regagner Pacific Point, mais j'eus bien de la peine à arriver jusqu'à West Los Angeles. A un moment donné, alors que j'étais déjà dans ma rue, je crus apercevoir dans le rétroviseur un barbu, une couverture roulée en bandoulière, mais quand je me retournai, il n'y avait personne.

Je me rangeai devant la porte et me lançai à l'assaut de l'escalier extérieur. Le téléphone sonna telle une bombe piégée à déclenchement acoustique à l'instant précis où j'ouvrais la porte. J'empoignai le combiné au passage et m'installai dans le fauteuil.

– Monsieur Archer ? Ici Helen, du service des abonnés absents. Il y a eu deux appels urgents, l'un d'un M. Truttwell et l'autre de Mlle Truttwell. Je n'ai pas pu vous joindre à votre bureau.

Je jetai un coup d'œil sur la pendule électrique. 2 heures pile. Helen me donna le numéro du cabinet de Truttwell et celui, moins familier à mes oreilles, qu'avait laissé sa fille.

– Il n'y a rien eu d'autre?

– Si, mais je suppose qu'il s'agit d'une erreur, monsieur Archer. Un hôpital de Pasadena vous réclame cent soixante-dix dollars. Il paraît que le prix de l'intervention est compris dans cette somme.

– Non, ce n'est pas une erreur. S'ils retéléphonent, dites-leur que je leur mets un chèque au courrier.

– C'est parfait.

Après avoir examiné mon chéquier pour vérifier l'état de mon compte, j'estimai préférable de commencer par appeler Truttwell. Mais, dans l'immédiat, je sortis un steak du congélateur et allumai le gaz. Le lait qui restait dans le berlingot entamé était encore bon. J'en bus la moitié. Je n'aurais pas été contre un petit gorgeon de whisky pour l'aider à descendre, mais le whisky n'était pas exactement ce qui me convenait pour le moment.

Ce fut un jeune collaborateur de Truttwell, un dénommé Eddie Sutherland, qui prit la communication. Son patron n'était pas là pour l'instant, mais il m'avait fixé rendez-vous à 16 h 30. Il était de la plus haute importance que je vienne. Mais Sutherland ne savait pas pourquoi.

Je me rappelai soudain en formant le numéro que Betty avait laissé que c'était celui de l'appartement de Nick.

– Allô?

– Ici Lew Archer.

Elle retint son souffle.

– J'essaie vainement de vous appeler depuis ce matin.

– Nick est-il auprès de vous?

– Non, hélas! Je suis très inquiète pour lui. Je suis allée à San Diego hier après-midi pour tâcher de le voir. Ils n'ont pas voulu me laisser entrer dans sa chambre.

– Qui ça, « ils »?

– L'homme qui montait la garde devant sa porte et le Dr Smitheram. Ils avaient l'air de croire que c'était mon père qui m'avait envoyée pour espionner. J'ai quand même réussi à apercevoir Nick et je me suis arrangée pour qu'il me voie. Il m'a demandé d'intervenir pour qu'on le fasse sortir. Il disait qu'on le retenait contre son gré.

– A qui se rapportait ce « on »?

– Je crois que c'était au Dr Smitheram qu'il pensait. En tout cas, c'est le Dr Smitheram qui l'a fait transporter cette nuit.

– Transporter où?

– Je ne sais pas au juste. Je suppose qu'il est retenu prisonnier dans sa clinique. C'est là que l'ambulance l'a conduit.

– Vous croyez sérieusement qu'il est prisonnier?

– Je ne sais que croire. Mais j'ai peur. Est-ce que vous voulez m'aider, monsieur Archer?

Je lui répondis qu'il fallait d'abord qu'elle m'aide, moi, parce que j'étais dans l'incapacité de conduire. Nous convînmes qu'elle passerait me prendre d'ici une heure.

Je revins à la cuisine pour retourner mon steak. Il était doré et tout grésillant d'un côté, gelé et dur comme du bois de l'autre. A l'instar de certains schizophrènes de ma connaissance. Et je me demandai jusqu'à quel point Nick était dingue.

Le premier problème était celui de l'habillement.

Ma garde-robe sous-developpée comprenait une chemise de nylon extensible que je parvins à enfiler sans passer le bras gauche dans la manche. Un léger cardigan compléta mon harnachement.

A présent, mon steak schizoïde était prêt – noirâtre des deux côtés et rouge au milieu. Il se mit à saigner dans l'assiette quand je le poignardai. J'attendis qu'il refroidisse un peu et le dévorai avec mes doigts. Après quoi, je terminai le reste de lait, puis m'installai dans le fauteuil pour me reposer. Pour la première fois de ma vie ou à peu près, j'avais un avant-goût de la vieillesse. Mon corps exigeait que je sois aux petits soins pour lui sans me donner grand-chose en échange.

Le coup d'avertisseur de Betty me fit émerger de mon demi-assoupissement. Elle me décocha un regard dépourvu d'aménité quand je m'assis gauchement à côté d'elle.

– Vous êtes malade, monsieur Archer?

– Pas à proprement parler. J'ai reçu du plomb dans l'épaule.

– Pourquoi ne me l'avez-vous pas dit?

– Parce que vous ne seriez peut-être pas venue. Et je tiens à assister au dénouement.

– Même si vous devez y laisser votre peau?

– Pas de danger!

Si je ne payais pas de mine, elle, en revanche, avait repris du poil de la bête. Elle avait finalement décidé de cesser d'être un gnome vivant dans une grisaille souterraine.

– Mais qui donc a tiré sur vous?

– Un flic, à Pasadena. Il visait quelqu'un d'autre, mais je me suis trouvé sur la trajectoire. Votre père ne vous l'a pas dit?

– Je ne l'ai pas vu depuis hier.

Elle avait parlé sur un ton protocolaire, comme s'il s'agissait d'un faire-part.

– Vous quittez la maison?

– Oui. Père m'a mis le marché en main : je dois choisir entre lui et Nick.

– Je suis sûr qu'il ne le pense pas sérieusement.

– Si.

Elle emballa le moteur. Au dernier moment, je me rappelai que les lettres de guerre de Chalmers étaient toujours dans ma voiture. J'allai les récupérer et me mis à examiner les premières tandis que Betty démarrait.

L'en-tête de la seconde m'arrêta :

Aspirant L. Chalmers
USS Sorrel Bay (CVE 185)
15 mars 1945

Je me tournai vers Betty :

– Ne m'avez-vous pas dit l'autre jour que l'anniversaire de Nick tombait en décembre?

– Oui, le 14 décembre.

– En quelle année est-il né?

– En 1945. Il a eu vingt-trois ans le mois dernier. C'est important?

– Peut-être. Savez-vous s'il a modifié le classement de ces lettres en en changeant l'ordre chronologique?

– C'est bien possible. Je crois qu'il les a lues. Pourquoi?

– L'une des lettres écrites par M. Chalmers alors qu'il était en première ligne dans le Pacifique porte la date du 15 mars 1945.

– Je ne suis pas très bonne en calcul, surtout quand je conduis. Mais du 15 mars au 14 décembre, cela fait neuf mois, si je ne me trompe?

– Neuf mois tout rond.

– Comme c'est curieux! Nick a toujours soupçonné que son... que M. Chalmers n'était pas son véritable père. Il croit qu'il a été adopté.

– Ce n'est pas exclu.

Je mis dans mon portefeuille les trois premières lettres de la liasse. Betty braqua pour s'engager sur la bretelle d'accès de l'autoroute. Elle conduisait vite, rageusement, sous un ciel plombé de smog.

32

Le long de la côte, il faisait du soleil et le vent soufflait. Du haut du plateau dominant Pacific Point, j'entrevoyais de temps en temps la mer qui moutonnait et des voiles obliques, très loin au large.

Betty se rendit directement à la clinique Smitheram. La jeune personne pomponnée et quelque peu cérémonieuse qui trônait à la réception m'annonça que le Dr Smitheram était avec un patient et qu'il lui était impossible de nous recevoir. Il avait des rendez-vous toute la journée, même en fin de soirée.

– Qu'est-ce que vous pensez de mardi prochain à minuit?

La jeune femme m'enveloppa d'un regard désapprobateur.

– Vous êtes sûr que vous ne voulez pas être conduit à la salle des urgences à l'hôpital?

– On ne peut plus sûr! Nick Chalmers est-il en traitement chez vous?

– Je ne suis pas autorisée à répondre à des questions de cet ordre.

– Puis-je voir Mme Smitheram?

Elle fit mine de se plonger dans ses papiers et finit par murmurer :

– Si vous voulez bien me rappeler votre nom ?

Je me présentai. Elle ouvrit une porte. Avant que le battant ne se fût refermé, j'entendis quelque chose qui fit se hérisser mes cheveux sur mon crâne : un cri strident. Quelqu'un hurlait de douleur et d'angoisse.

Nous nous regardâmes, Betty et moi.

– Peut-être que c'est Nick, dit-elle. Qu'est-ce qu'ils lui font ?

– Rien. Vous ne devriez pas être ici.

– Et où devrais-je donc être ?

– Chez vous. En train de lire un livre.

– Dostoïevski ? lança-t-elle sèchement.

– Non, quelque chose de plus léger.

– *Les quatre filles du docteur March*, par exemple ? Je crains que vous ne me compreniez pas, monsieur Archer. Vous recommencez à jouer les pères nobles.

– Et vous, les petites filles.

La porte s'ouvrit et Moira entra, suivie de la réceptionniste. Cette fois, je ne perçus aucun bruit. Mme Smitheram me dévisagea d'un air étonné et décocha à Betty un regard plus complexe où l'envie se mêlait au dédain. Un regard qui semblait vouloir dire que Betty était peut-être plus jeune mais que Moira, elle, avait eu une vie plus remplie. Elle se tourna vers moi :

– Que vous arrive-t-il, monsieur Archer ?

– J'ai été accidentellement blessé par un coup de revolver, si c'est à cela que vous faites allusion, fis-je en lui montrant mon bras gauche. Nick Chalmers est-il ici ?

– Oui.

– C'était lui qui criait tout à l'heure ?

– Qui criait ? Je ne crois pas. (Elle perdait conte-

235

nance.) Il y a plusieurs malades à l'isolement dans cette aile. Nick n'est pas parmi les plus agités.

– Dans ce cas, vous ne verrez pas d'objections à ce que nous le voyions. Mlle Truttwell est sa fiancée...

– Je sais.

– ... Et elle se fait beaucoup de souci pour lui.

– Ce n'est vraiment pas la peine, répliqua Moira, encore qu'elle semblât elle-même fort inquiète. Je suis navrée mais je ne peux pas autoriser cette visite. Ce sont les ordres du Dr Smitheram. Il estime évidemment que Nick a besoin d'être seul.

Un rictus déforma sa bouche. L'effort qu'elle faisait pour contrôler son expression et sa voix lui pesait.

– Pourrions-nous poursuivre cette conversation en tête-à-tête, madame Smitheram?

– Bien sûr. Si vous voulez bien m'accompagner dans mon bureau...

Betty était exclue de l'invitation.

Le bureau de Moira tenait à la fois du salon et de la salle d'archives. C'était une pièce aveugle, mais des toiles abstraites en garnissaient les murs, telles des fenêtres intérieures se substituant aux fenêtres absentes s'ouvrant sur le monde. Moira donna un tour de clé et s'immobilisa, le dos contre la porte.

– Suis-je votre prisonnier?

– C'est moi qui suis prisonnière, rétorqua-t-elle sans même chercher à feindre la légèreté. Je voudrais échapper à tout cela. (Elle ébaucha le geste de lever les bras et les épaules pour souligner le poids presque intolérable de l'édifice.) Mais je ne peux pas.

– Votre mari ne veut pas vous laisser partir?

– C'est un peu plus compliqué. Je suis prisonnière de toutes mes erreurs passées – me voilà bien phraseuse, aujourd'hui! – et Ralph est une de ces erreurs. Vous aussi. Mais plus récente.

– Qu'est-ce que j'ai fait de mal?

– Rien. J'ai cru que je vous plaisais, c'est tout.

A présent, elle avait entièrement renoncé à jouer un personnage et à contrôler sa voix.

– C'est en fonction de ce postulat que j'ai agi comme je l'ai fait hier soir.

– Moi aussi. Le postulat était vrai.

– Alors pourquoi venez-vous me tourmenter?

– Ce n'était nullement mon intention. Mais j'ai l'impression que nous nous trouvons, en définitive, dans des camps opposés.

Elle eut un geste de dénégation.

– Je ne le crois pas. Je ne demande qu'une seule chose : une vie convenable, une vie possible pour tout le monde. Moi y compris.

– Et que demande votre mari?

– La même chose... à sa mesure. Nous ne sommes naturellement pas d'accord sur tout et j'ai commis la faute de dire amen à ses grandes idées. (A nouveau, elle refit ce geste qui embrassait l'édifice tout entier.) Comme si accoucher d'une clinique eût pu sauver notre mariage! Nous aurions dû en louer une, ajouta-t-elle, sarcastique.

C'était un personnage complexe. Etalant ses contradictions, elle parlait trop. Je m'approchai d'elle et, pas très adroitement à cause de mon bras, je la fis taire en lui posant la main sur la bouche. La douleur pulsait dans mon épaule comme un cœur auxiliaire.

– Je suis désolée que vous soyez blessé, fit-elle comme si le lancinement qui me fouaillait s'était communiqué à elle.

– Je suis désolé que vous soyez blessée, vous, Moira.

– Ne gaspillez pas votre compassion pour moi,

répliqua-t-elle sur un ton qui me remémora qu'elle était ou avait été une sorte d'infirmière. Je n'en mourrai pas, mais ce ne sera pas très drôle, j'en ai peur.

– Encore un coup, je ne vous suis plus. De quoi parlons-nous?

– Du malheur. J'ai un pressentiment. J'ai du sang irlandais dans les veines, vous savez.

– Malheur pour qui? Pour Nick Chalmers?

– Pour nous tous. Pour lui aussi, bien entendu.

– Pourquoi ne me laissez-vous pas l'emmener?

– Je ne peux pas.

– Sa vie est-elle en danger?

– Non... tant qu'il restera ici.

– Me permettez-vous de le voir?

– Non. Mon mari s'y opposerait.

– Avez-vous peur de lui?

– Non, mais c'est lui le médecin. Moi, je ne suis qu'une technicienne. Il n'est pas question que je me substitue à lui.

– Combien de temps envisage-t-il de garder Nick?

– Jusqu'à ce qu'il n'y ait plus de danger.

– Mais d'où vient ce danger?

– Je ne peux vous répondre. Je vous en supplie, Lew, ne me posez plus de questions. Elles gâchent tout.

Nous restâmes quelques instants enlacés, appuyés à la porte close. La chaleur de son corps et de sa bouche me faisait renaître, bien que nous fussions en conflit et qu'une partie de mon esprit s'efforçât de demeurer consciente du temps qui s'écoulait.

– Comme j'aimerais que nous puissions partir sur-le-champ, vous et moi, et ne jamais revenir! murmura-t-elle.

– Vous avez un foyer, Moira.

– Plus pour longtemps.

238

– A cause de moi?

– Bien sûr que non! Mais voulez-vous me promettre une chose?

– Dites toujours.

– Ne parlez à personne de Sonny. Vous savez? Mon petit postier de La Jolla. J'ai eu tort de vous mettre au courant.

– Sonny a réapparu?

Elle fit oui de la tête. Son regard était sombre.

– Vous n'en parlerez à personne, n'est-ce pas?

– Je n'ai aucune raison d'en parler à qui que ce soit.

C'était une échappatoire et elle le devina.

– Lew, je sais que vous êtes un homme sans détour. Promettez-moi de ne rien faire contre nous. Laissez-nous, à Ralph et à moi, une chance de régler cette histoire.

Je fis un pas en arrière.

– Il n'est pas question que je prenne un engagement pareil, je n'achète pas chat en poche et vous savez parfaitement que vos propos ne sont pas clairs.

Une grimace de détresse déforma ses traits.

– Ils ne peuvent pas l'être. Ce n'est pas par des mots que nous résoudrons le problème. Trop de gens y sont mêlés, et trop d'années.

– Quels gens?

– Ralph, moi, les Chalmers, les Truttwell...

– Et Sonny?

– Oui, lui aussi. (Son regard se fit lointain. Il était fixé sur quelque chose qui m'échappait.) C'est pourquoi il ne faut répéter à personne ce que je vous ai raconté.

– Pourquoi me l'avez-vous raconté?

– Je pensais que vous pourriez me donner un conseil, que nous deviendrions peut-être meilleurs amis.

– Il faut du temps.

– Du temps... C'est justement ce que je vous demande.

33

Betty, qui m'attendait avec impatience dans le parking, plissa les paupières en examinant le bas de mon visage.

– Vous avez du rouge. Attendez... (Elle sortit un mouchoir en papier de son sac et m'essuya non sans brutalité.) Voilà... Vous avez meilleure mine.

Une fois dans la voiture, elle reprit sur un ton neutre :

– Mme Smitheram est votre maîtresse?

– C'est une amie.

– Pas étonnant que je ne puisse avoir confiance en personne ni rien faire pour Nick, fit-elle de la même voix inexpressive. Si vous êtes en aussi bons termes avec Mme Smitheram, pourquoi m'empêche-t-elle de le voir?

– C'est son mari qui est médecin, elle n'est qu'une technicienne, selon ses propres termes.

– Pourquoi son mari ne laisse-t-il pas Nick sortir?

– Il le garde pour le protéger. Contre quoi? Contre qui? Ce n'est pas clair, mais je conviens qu'il a besoin de protection. Toutefois, ce n'est pas seulement à son médecin de se charger de cela. Il lui faut aussi l'assistance d'un homme de loi.

– Si vous cherchez à introduire mon père dans...

Le coup de poing qu'elle assena sur le volant fut si brutal qu'il dut lui meurtrir les phalanges.

240

– Il est dans le bain, Betty, vous avez beau dire et
beau faire... et vous n'aiderez pas Nick en vous
dressant contre votre père.

– C'est lui qui s'est dressé contre nous... contre
Nick et moi.

– Peut-être. Il n'empêche que son concours nous
est nécessaire.

– Pas à moi, répliqua-t-elle d'une voix forte mais
qui manquait d'assurance.

– En tout cas, moi, j'ai besoin de vous. Vous
voulez bien me conduire à son cabinet?

– D'accord, mais je ne monterai pas.

Elle me déposa dans le parking qui se trouvait
derrière l'immeuble. Une étincelante Rolls noire
était garée à un emplacement réservé.

– Tiens! s'exclama Betty. La voiture des Chalmers. Je croyais qu'ils avaient eu des mots avec
mon père.

– Peut-être qu'ils ont fait amende honorable.
Quelle heure est-il?

Elle jeta un coup d'œil à son bracelet-montre.

– 4 h 35. Je vous attends ici.

Elle m'intéressait, cette Rolls. J'en fis le tour,
admirant les profonds sièges de cuir, le tableau de
bord en noyer. Elle était d'une netteté irréprochable, à l'exception d'une tache qui maculait le plaid
recouvrant la banquette arrière. On aurait dit une
trace de vomi séché.

J'en détachai une parcelle avec le coin d'une carte
de crédit en plastique. Au moment où je levais les
yeux, je vis se diriger vers moi un petit maigrichon
vêtu d'un complet noir et coiffé d'une casquette de
chauffeur. C'était Emilio, le valet des Chalmers.

– Sortez de cette voiture, m'ordonna-t-il.

– Tout de suite.

Je refermai la portière et m'éloignai. Les yeux
d'Emilio se vrillèrent sur la carte que je tenais à la

main. Il fit mine de vouloir me l'arracher mais je le pris de vitesse.

– Donnez-moi cela!

– Tiens donc! Qui a été malade dans la voiture, Emilio?

La question le troubla. Je la réitérai et sa colère se dissipa instantanément. Me tournant le dos, il s'installa au volant et actionna la commande électrique qui fermait la glace.

– De quoi s'agissait-il? me demanda Betty tandis que nous nous éloignions.

– Je ne sais pas très bien. Quel genre de type est-ce?

– Emilio? C'est un homme peu démonstratif.

– Honnête?

– Sûrement: il y a plus de vingt ans qu'il est au service des Chalmers.

– Et son mode de vie?

– Une existence de célibataire tout ce qu'il y a de tranquille, j'imagine, mais je ne fais pas autorité en ce qui concerne Emilio. Qu'est-ce que c'est que cette espèce de poudre jaune que vous avez sur cette carte?

– Voilà une bonne question! Avez-vous une enveloppe?

– Non, mais je vais vous en chercher une, si vous voulez.

Elle disparut par la porte de service et revint quelques instants plus tard avec une enveloppe à en-tête du cabinet. J'y glissai l'échantillon et la collai.

– Avec quel laboratoire votre père travaille-t-il?

– Le laboratoire Barnard. C'est tout à côté du tribunal.

Je lui tendis l'enveloppe.

– Il faut qu'on recherche là-dedans de l'hydrate de chloral et du nembutal. Je crois que ce sont des tests très simples qui peuvent être exécutés sur-le-champ. Vous n'aurez qu'à dire que vous venez de la part de votre père et que c'est urgent. Et qu'ils prennent bien soin de l'échantillon.

– A vos ordres, chef.

– Je compte sur vous pour me rapporter les résultats. Je serai probablement dans le bureau de votre père. Vous n'aurez qu'à vous déguiser ou mettre une perruque, si vous voulez.

Elle refusa de sourire, mais s'éloigna d'un pas vif comme un bon petit soldat.

Un torrent d'adrénaline rugissait dans mes veines. Je me sentais plus fort et plus agressif. Si mon intuition ne me trompait pas, ces traces de vomissure allaient me permettre de tirer un trait final sur mon enquête.

J'entrai dans l'immeuble et enfilai le couloir conduisant à la salle d'attente qui se trouvait du côté opposé.

La voix de Truttwell m'arrêta net :

– Archer? Je désespérais de vous voir.

Il émergea d'une porte ouverte et m'entraîna dans une bibliothèque dont les rayonnages ployaient sous les manuels de droit. Un jeune homme au complet strict et sérieux était penché sur un projecteur cinématographique. Un écran était déjà installé devant le mur du fond.

Truttwell me décocha un regard qui manquait d'affabilité.

– Où étiez-vous?

Je lui rapportai brièvement mes aventures et changeai aussitôt de sujet :

– Je suppose que vous avez racheté les films de Mme Swain?

– Il n'y a pas eu de transaction, me répondit-il d'un air satisfait. J'ai réussi à la convaincre qu'il était de son devoir d'aider à faire éclater la vérité.

Et je lui ai laissé la cassette florentine qui appartenait à sa mère. En échange, elle m'a donné quelques
films. Malheureusement, la bobine que je voudrais
vous montrer a quelque chose comme vingt-six ans
et elle est en bien mauvais état. Le film vient juste
de casser. (Il se tourna vers le jeune homme.) Où en
sommes-nous, Eddie?

– Encore une petite minute. Il ne me reste plus
qu'un collage à faire.

– Archer, j'aimerais que vous me rendiez un
service. Irène Chalmers est dans la salle d'attente.

– Vous vous êtes rabibochés?

J'entrevis l'éclair fugitif de ses dents.

– Cela ne tardera pas. Pour le moment, disons
qu'elle n'est pas ici de son plein gré. J'aimerais que
vous alliez jeter un coup d'œil sur elle pour être sûr
qu'elle ne file pas à l'anglaise.

– Quelle surprise lui réservez-vous?

– Vous verrez.

– Vous allez lui lâcher tout à trac que son nom de
jeune fille était en réalité Rita Shepherd?

Son air satisfait disparut. Une sorte de rivalité
nous opposait, peut-être en raison de la confiance
que Betty m'avait accordée.

– Depuis quand le savez-vous? me demanda-t-il
d'une voix de procureur.

– Depuis cinq secondes environ. Mais j'ai commencé à le soupçonner cette nuit.

J'aurais été mal inspiré de lui avouer que l'idée
avait germé dans un rêve au cours duquel j'avais
revu ma grand-mère.

Et comme je me dirigeais vers la salle d'attente,
ce rêve me revint à l'esprit, émoussant mon agressivité. Mme Shepherd se confondait avec mon
aïeule qui reposait depuis bien longtemps dans le
cimetière de Martinez. La passion avec laquelle elle

avait lutté pour protéger le secret de sa fille conférait une certaine valeur à celui-ci.

Lorsque j'entrai, Irène Chalmers leva la tête. Sur le moment, elle ne sembla pas me reconnaître. La secrétaire me dit à voix basse comme si nous étions en présence d'une malade ou d'une débile mentale :

– Je craignais que vous n'arriviez trop tard. M. Truttwell est dans la bibliothèque. Il m'a recommandé de vous y conduire tout de suite.

– Je viens de le voir.

– Ah bon!

Je m'assis à côté de Mme Chalmers. Elle se tourna vers moi et, au bout d'un certain temps, me remit. On eût dit qu'elle émergeait lentement de ses songes. Et comme si ceux-ci avaient été épouvantables, ce fut d'une voix sourde et sur un ton d'excuse qu'elle murmura :

– Pardonnez-moi, je pensais à autre chose. Vous êtes M. Archer, n'est-ce pas? Je croyais pourtant que vous aviez cessé de travailler pour nous.

– Je continue à m'occuper de cette affaire, Mme Chalmers. A propos, j'ai retrouvé les lettres de votre mari.

– Vous les avez sur vous? s'enquit-elle sans manifester un bien vif intérêt.

– Quelques-unes seulement. Me Truttwell vous les remettra.

– Mais il n'est plus notre conseil.

– Il vous les transmettra quand même, j'en suis sûr. Ne vous faites pas de souci.

– Je ne sais pas. (Elle balaya la petite pièce du regard avec une sorte de méfiance.) Nous étions les meilleurs amis du monde, mais cela a bien changé.

– A cause de Nick et de Betty?

– Cela a été la goutte d'eau qui a fait déborder le

vase. Mais nous étions déjà entrés en conflit auparavant. Pour des questions d'ordre financier. On
dirait que c'est toujours pour des problèmes d'argent que les gens se mangent le nez, n'est-ce pas?
Parfois, je voudrais presque me retrouver pauvre.

– Vous vous êtes donc disputés pour des raisons
financières?

– Oui, quand nous avons créé la Fondation Smitheram avec Larry. John Truttwell a refusé de
rédiger les actes. Selon lui, nous étions les dupes du
Dr Smitheram qui voulait être le seul maître à bord.
Mais Larry tenait à la Fondation, et moi, je trouvais
que c'était une excellente idée. Je ne sais pas où
nous en serions sans le Dr Smitheram.

– Il vous a rendu de grands services, n'est-ce
pas?

– C'est indéniable. Il a sauvé Nick de... vous savez
quoi. Je crois que John Truttwell est jaloux de lui.
N'importe comment, il a cessé d'être un ami. Si je
suis venue, c'est parce que j'ai cédé à la menace.

J'aurais bien aimé qu'elle fût plus explicite, mais
la secrétaire écoutait. Je me tournai vers elle:

– Pourriez-vous demander à Me Truttwell s'il est
prêt à nous recevoir, je vous prie, mademoiselle?

Elle s'éloigna de mauvaise grâce.

– De quoi vous a-t-il menacée, madame Chalmers? demandai-je à Irène lorsque nous fûmes
seuls.

Contrairement à mon attente, elle n'eut pas de
réaction de défense. On l'aurait crue assommée par
un choc qui lui eût fait oublier toute réserve.

– Nick, toujours Nick! Truttwell s'est rendu à San
Diego aujourd'hui et il a encore remué la boue. Je
préfère ne pas insister là-dessus.

– Ses menaces avaient-elles quelque chose à voir
avec la naissance de Nick?

– Ah? Il vous a mis au courant!

– Non, mais j'ai lu quelques-unes des lettres de votre mari. Apparemment, il était en mer à l'époque où Nick a été conçu. Est-ce la vérité, madame Chalmers?

Elle me contempla d'un air désorienté, puis son regard devint dur et méprisant.

– Vous n'avez aucun droit de me poser une telle question. Que cherchez-vous? A me déshabiller, c'est ça?

En dépit de sa colère, il y avait dans ces mots un sous-entendu équivoque et érotique qui était un appel du pied à ma complicité. Je lui adressai un sourire forcé.

Sur ces entrefaites, la secrétaire revint et nous annonça que Truttwell nous attendait. Il était seul dans la bibliothèque, planté derrière le projecteur.

On eût dit que l'appareil était une arme braquée sur Irène. Ses yeux où se lisait l'effroi se posèrent tour à tour sur l'avocat et sur moi. Son masque était figé, son corps comme pétrifié. Je m'interposai entre la porte et elle.

– Vous n'avez pas parlé de films, dit-elle d'une voix pitoyable. Vous m'aviez dit que vous vouliez que nous récapitulions l'affaire ensemble.

– Le film en question est inséparable de l'affaire, répondit avec suavité Truttwell, tout à fait maître de la situation. Il a été tourné au cours de l'été 1943 à San Marino. A la piscine. Eldon Swain offrait une réception et il a opéré presque entièrement lui-même. La seule séquence finale où il apparaît a été prise par Mme Swain.

– Mme Swain? Vous lui avez parlé?

– Un peu. Mais, pour être franc, votre réaction à vous m'intéresse beaucoup plus. (Il tapota sur le dossier du fauteuil à côté du projecteur.) Venez vous asseoir, Irène, et mettez-vous à l'aise.

Comme elle s'obstinait à ne pas bouger, il s'approcha d'elle, le sourire aux lèvres, et la prit par le bras. Elle le suivit lentement, pesamment, telle une statue qui, à contrecœur, devient chair.

Il l'installa dans le fauteuil au-dessus duquel il se pencha et ce fut presque avec regret qu'il lâcha les épaules d'Irène Chalmers.

— Voulez-vous éteindre, Archer?

J'appuyai sur le commutateur et pris place à côté de Mme Chalmers. Le projecteur se mit à bourdonner, crachant un rectangle de lumière qui devint images. Une vaste piscine, un plongeoir, un toboggan reflétant un ciel trop bleu.

Une jeune fille blonde au corps de femme mûre et au visage d'adolescente escalada le plongeoir. Elle agita le bras en direction de la caméra, sautilla plus que de raison et fit un plongeon comique, jambes écartées – on aurait dit une grenouille agitée de soubresauts convulsifs. Quand elle refit surface, elle recracha l'eau qu'elle avait avalée. Jean Trask jeune...

Irène Chalmers, née Rita Shepherd, lui succéda. Elle s'avança gravement, jusqu'à l'extrémité de la planche comme si l'œil de la caméra était un arbitre qui la jugeait. Le bonnet de caoutchouc noir qui la casquait lui donnait un air étrangement archaïque. Elle s'immobilisa de longues secondes sans un regard à la caméra, puis bondit dans les airs et effectua un saut de l'ange. Il y eut très peu d'éclaboussures. Ce ne fut qu'après qu'elle eut disparu dans les profondeurs de l'eau que je réalisai combien elle était belle. Elle revint à l'air libre, sourit et tourna incontinent le dos à la caméra. Jean surgit derrière elle en criant quelque chose ou en riant, lui fit boire la tasse et arrosa l'opérateur.

Ce fut au tour d'un garçon qui pouvait avoir dix-huit ans, et que je ne reconnus pas tout de suite, de monter sur le plongeoir. Il s'approcha lentement du bord du tremplin, non sans jeter de fréquents regards derrière lui, comme si des pirates étaient à ses trousses. Il y en avait un : Jean, qui se rua sur lui et le poussa dans la piscine en riant ou en criant quelque chose. Il refit surface en barbotant, les yeux fermés. Une femme coiffée d'un chapeau à large bord lui tendit une gaffe et le hala jusqu'au petit bain. Il avait de l'eau jusqu'à la taille et il ne montrait que son dos fluet à l'objectif. Sa remorqueuse ôta son chapeau avachi et fit une révérence aux spectateurs invisibles.

C'était Mme Swain, mais la caméra, sans s'attarder sur elle, panoramiqua pour cadrer un couple élégant et d'un certain âge. L'homme et la femme étaient assis côte à côte dans un hamac. Bien que celui-ci fût à l'ombre, je reconnus Samuel Rawlinson. Sa compagne était sans doute Estelle Chalmers, mais la caméra pivota à nouveau avant que je n'eusse eu le temps de mieux examiner son visage mince et passionné.

Rita et Jean firent plusieurs glissades sur le toboggan, tantôt seules, tantôt ensemble. Puis elles longèrent en courant la piscine dans toute sa longueur. Jean, qui était en tête, éclaboussa le garçon hydrophobe qui semblait avoir pris racine dans le petit bain. Ce fut ensuite au tour de Rita de se faire asperger.

J'aperçus fugitivement en arrière-plan la barbe et les cheveux roux de Randy Shepherd en tenue de jardinier qui, derrière une haie, regardait sa fille en train de se préparer à prendre un bain de soleil. Je jetai un coup d'œil en coulisse à Irène Chalmers. La lumière aux couleurs fausses que reflétait l'écran éclairait capricieusement son visage. On eût dit qu'elle défaillait sous ce doux bombardement d'images du passé.

Je reportai mon attention sur le film. C'était maintenant Eldon Swain qui était sur le plongeoir. Taille moyenne, la tête forte. Il était beau, il prit son élan et plongea. La caméra le rattrapa quand il émergea et le suivit tandis qu'il remontait sur le plongeoir pour se livrer à une série de sauts de carpe avant et arrière. Il fit ensuite des plongeons en doublé, d'abord avec Jean, puis avec Rita sur les épaules. La caméra, comme prise d'un intérêt documentaire, détailla l'exhibition. Rita se posta au départ de la planche, Eldon Swain glissa sa tête entre ses jambes écartées et la souleva. Chancelant un peu sous son poids, il gagna l'extrémité de la planche et s'immobilisa un bon moment, la tête entre les cuisses de la jeune femme, pareil à un gigantesque bébé souriant naissant pour la seconde fois.

Ils dégringolèrent ensemble et restèrent longtemps sous l'eau. L'objectif sillonnait la surface de la piscine, mais c'était en vain : il n'enregistrait que d'étincelants reflets liquides dentelés de lumière flottant sur un fond brouillé d'ombres multicolores.

34

La dernière image s'effaça. Personne ne parla avant un bon moment. Je rallumai. Irène Chalmers, alors, remua comme si elle se réveillait. Je sentais la peur qui l'habitait, une peur qui lui donnait un air somnolent. Elle fit un effort pour la chasser en s'exclamant :

— J'étais jolie en ce temps-là, n'est-ce pas ?

– Ce n'est pas le mot juste, fit Truttwell. Vous étiez ravissante.

– Ça me fait une belle jambe! (Sa voix et son langage s'étaient modifiés comme si elle redevenait la femme d'autrefois.) D'où vient ce film? C'est Mme Swain qui vous l'a donné?

– Oui. Et elle m'en a remis d'autres.

– Ça ne m'étonne pas! Elle m'a toujours détestée.

J'intervins :

– Parce que vous lui avez pris son mari?

– Elle me haïssait déjà avant. Et depuis longtemps. On aurait presque dit qu'elle savait d'avance ce qui allait arriver. Au fond, c'est peut-être elle qui a été responsable. Je ne sais pas... Elle était là à surveiller Eldon, attendant qu'il fasse le saut. Dans ces conditions, tôt ou tard, un homme finit par sauter.

– Et vous, pourquoi avez-vous fait le saut?

– Il ne s'agit pas de moi.

Elle me regarda, regarda Truttwell, puis ses yeux se perdirent dans le vague.

– Je me retranche derrière le cinquième amendement (1).

L'avocat se rapprocha d'elle et murmura d'une voix douce, une voix d'amant :

– Vous êtes avec des amis, Irène.

– Vous parlez!

– C'est la vérité. Nous avons pris énormément de peine, M. Archer et moi, pour récupérer cette pièce à conviction et empêcher qu'elle ne tombe entre des mains peut-être mal intentionnées. Tant que ce film restera dans les miennes, il ne pourra être utilisé contre vous et je crois pouvoir affirmer que vous n'aurez jamais rien à craindre de ce côté.

(1) Le cinquième amendement constitutionnel stipule que nul ne peut être contraint à témoigner contre lui-même. *(N.d.T.)*

Elle redressa la tête et le regarda dans le blanc des yeux.

– Qu'est-ce que c'est? Du chantage?

Truttwell sourit.

– J'ai bien peur que vous me confondiez avec le Dr Smitheram. Je ne veux rien de vous, Irène, absolument rien. Je crois qu'il faudrait que nous ayons une conversation à cœur ouvert.

Les yeux d'Irène Chalmers se posèrent sur moi.

– Et lui?

– M. Archer connaît mieux que moi les tenants et les aboutissants de cette affaire. Pour ma part, je ne mets pas un seul instant sa discrétion en doute.

Ce compliment me mit mal à l'aise : je n'étais nullement disposé à le lui retourner.

– Moi, je n'ai pas confiance, rétorqua Mme Chalmers. Comment voulez-vous? Je le connais à peine.

– Moi, vous me connaissez, Irène. Etant votre conseil...

– Ah bon? Vous êtes à nouveau notre avocat?

– En vérité, je n'ai jamais cessé de l'être. Au point où nous en sommes, vous devez comprendre que vous avez besoin de mon aide et de celle de M. Archer. En dehors de nous trois, personne ne saura ce que nous avons appris du passé.

– Si je marche, laissa-t-elle tomber. Mais si je ne marche pas?

– Je suis tenu par le secret professionnel.

– Mais ce secret n'en est plus un, c'est ce que vous voulez dire?

– Ce n'est ni ma faute ni celle d'Archer. Evidemment, il y a le Dr Smitheram et... Comment voulez-vous que je défende vos intérêts si vous me mettez des bâtons dans les roues?

– Personnellement, je n'avais aucune envie de rompre les ponts avec vous, dit-elle après avoir

252

réfléchi à la proposition de Truttwell. Surtout maintenant. Mais je ne peux pas me porter garante de mon mari.

– Où est-il?

– Je l'ai laissé à la maison. Larry est terriblement éprouvé par tous ces événements. Il n'en a pas l'air mais c'est un grand nerveux.

Ces mots firent mouche quelque part dans ma tête.

– Le garçon qu'on a vu dans le film... celui qui a été poussé dans la piscine... c'était votre mari, n'est-ce pas? lui demandai-je.

– Oui. C'est ce jour-là que j'ai rencontré pour la première fois Larry. La semaine suivante, il est parti rejoindre son poste dans la marine. Je l'intéressais, je m'en étais rendu compte, mais nous ne nous sommes pas parlé. Malheureusement...

– Quand avez-vous finalement fait connaissance?

– Deux ans plus tard. Il avait grandi entre-temps.

– Et vous qu'étiez-vous devenue... entre-temps?

Elle tourna brusquement la tête. L'effort raidissait les muscles de son cou blanc.

– C'est une question à laquelle je ne répondrai pas, fit-elle à l'adresse de Truttwell. Je n'ai pas engagé un avocat et un détective pour qu'ils fouillent la boue à pleines mains. Ce serait vraiment trop absurde.

– Il serait encore plus absurde d'essayer d'étouffer la vérité, rétorqua Truttwell d'une voix douce. Le moment est venu d'étaler cette boue, pour reprendre votre expression. Soyez tranquille, tout cela restera entre nous. Ai-je besoin de vous rappeler qu'il y a eu plusieurs meurtres?

– Moi, je n'ai tué personne.

Je pris le relais de Truttwell :

– Mais votre fils a tué quelqu'un. Dans le camp des migrants. Nous avons déjà abordé cette question.

Elle fit front :

– C'était un kidnapping et il a agi en état de légitime défense. Vous avez dit vous-même que la police le comprendrait.

– Je ne tiendrais plus le même langage maintenant que j'en sais plus long. Vous avez gardé pour vous le plus important. Par exemple, quand je vous ai dit que Randy Shepherd avait été mêlé à cette tentative de rapt, vous vous êtes abstenue de m'avouer qu'il était votre père.

– Une épouse n'a pas à charger son mari. Alors, une fille doit-elle charger son père ?

– Non, mais cela n'a plus d'importance, à présent. Votre père a été abattu hier après-midi à Pasadena.

Elle leva la tête.

– Par qui ?

– Par la police. La police que votre mère avait appelée.

– Ma mère ? Cela ne me surprend pas, dit-elle après quelques secondes de silence. Aussi loin que remontent mes souvenirs, je les revois tous les deux se battant comme des bêtes fauves. Il fallait que j'en sorte, même si pour cela...

Nos regards se croisèrent et elle laissa sa phrase en suspens.

Je l'achevai à sa place :

– Même si, pour cela, vous deviez fuir au Mexique avec un escroc.

Elle secoua la tête. Ses cheveux noirs s'ébouriffèrent légèrement, ce qui lui donna un air à la fois plus jeune et plus vulgaire.

– Jamais de la vie !

– Vous ne vous êtes pas enfuie avec Eldon Swain?

Devant son mutisme, j'insistai :

– Que s'est-il passé exactement, Mme Chalmers?

– Je ne vous le dirai pas bien que cela ne date pas d'aujourd'hui. Cela mettrait en cause d'autres personnes.

– Eldon Swain?

– Lui avant tout.

– A quoi bon essayer de le protéger désormais? Vous savez fort bien qu'il n'a plus rien à craindre. Comme votre père et pour la même raison.

Elle me décocha un dernier regard comme si le petit jeu qu'elle jouait avec le temps avait des ratés, comme si elle se trouvait suspendue dans les limbes entre ses deux existences.

– C'est vrai qu'Eldon est mort?

– Comme si vous l'ignoriez, madame Chalmers! Le cadavre que l'on a retrouvé dans l'entrepôt des chemins de fer, c'était le sien. Vous vous en êtes au moins doutée, à l'époque.

Son regard s'obscurcit.

– Non, je le jure devant Dieu.

– Vous ne pouviez pas ne pas le savoir. Le corps a été abandonné les mains sur un brasero pour faire disparaître les empreintes. Ce n'est pas un enfant de huit ans qui aurait fait cela.

– Ça ne signifie pas que ce soit moi.

– Vous seule aviez un motif. Si l'on avait identifié le mort, Eldon Swain, ç'aurait été la fin de tout pour vous. Vous auriez perdu votre maison, votre mari, votre situation sociale. Vous seriez redevenue Rita Shepherd, une fille de rien.

Dans le silence, son visage grimaçait tant son effort de réflexion était violent.

– Selon vous, mon père était en cheville avec Eldon. C'est sûrement lui qui a brûlé le cadavre.

Parce que le cadavre a été brûlé, c'est bien ce que vous disiez ?

– Seulement les doigts.

Elle acquiesça.

– C'est certainement mon père qui a fait le coup. Il parlait tout le temps d'effacer ses propres empreintes. C'était une véritable obsession...

Elle parlait machinalement, presque avec désinvolture. Elle se tut brusquement. Peut-être avait-elle entendu la voix de Rita Shepherd, fille d'un repris de justice, une Rita Shepherd retrouvant son identité première sans espoir d'échapper désormais à sa réalité.

La conscience de ce fait s'insinuait en elle, pénétrait dans son esprit à travers son indifférence, à travers des années d'oubli. Comme touchée à un endroit vulnérable, elle s'affaissa dans son fauteuil et enfouit son visage entre ses mains. Ses cheveux retombèrent, glissant entre ses doigts comme une eau ténébreuse.

Le regard intense dont Truttwell, penché sur elle, l'enveloppait était dépourvu de toute tendresse. Peut-être était-ce de la pitié qu'éprouvait l'avocat. Et un sentiment de possession. Irène Chalmers était passée de mains en mains, cette expérience l'avait marquée, mais elle était encore très belle.

S'oubliant et oubliant ma présence, il lui caressa les cheveux, le dos. Il n'y avait pas, à proprement parler, de sensualité dans ces gestes. Peut-être que ce qui l'emportait chez Truttwell était l'avocat : il lui suffisait qu'Irène Chalmers fût sa cliente. Ou l'obscur désir d'un veuf tenu en échec par un passé toujours vivant.

Elle finit par se ressaisir et réclama un verre d'eau. Tandis que Truttwell allait le lui chercher, elle me demanda d'une voix fiévreuse :

– Pourquoi ma mère a-t-elle dénoncé Randy à la police? Elle avait sûrement une raison.

– Oui. Il avait volé une photo de Nick.

– La photo de promotion que je lui avais envoyée?

– Oui.

– J'aurais mieux fait de m'abstenir. Mais je m'étais dit que je pouvais, au moins une fois dans mon existence, agir en être humain.

– C'était une erreur. Votre père a montré la photo à Jean Trask et l'a persuadée d'engager Sidney Harrow. C'est comme cela que tout a commencé.

– Qu'est-ce qu'il voulait, mon vieux?

– L'argent de votre mari, comme tout le monde.

– Tout le monde sauf vous, bien entendu! laissa-t-elle tomber d'une voix lourde de sarcasmes.

– Sauf moi, en effet. L'argent, ça coûte trop cher.

Truttwell revint avec un gobelet en carton.

– Etes-vous en état de faire une petite promenade en voiture, Irène? lui demanda-t-il tandis qu'elle buvait.

Elle sursauta et le regarda avec effroi.

– Pour aller où?

– A la clinique Smitheram. Il est temps d'avoir une conversation avec Nick.

Elle n'avait vraiment pas l'air enthousiasmé.

– Le Dr Smitheram ne vous laissera pas entrer.

– Je pense que si. Vous êtes la mère de Nick et je suis son avocat. Et s'il refuse de coopérer, je l'attaque en justice pour séquestration abusive.

Il ne parlait pas sérieusement, mais l'inquiétude d'Irène Chalmers persistait.

– Non, je vous en prie, ne faites pas cela. Je parlerai au Dr Smitheram.

En parlant, je demandai à la secrétaire si Betty était revenue avec le rapport du labo. La réponse fut négative. Je griffonnai un mot à l'intention de la jeune fille pour la prévenir que j'étais à la clinique.

35

Irène Chalmers dit à Emilio de rentrer et nous rentrâmes dans la Cadillac. Lorsque nous arrivâmes devant la clinique et qu'elle descendit, on eût dit qu'elle était droguée. Truttwell la prit par le bras.

Moira Smitheram était derrière le bureau comme la veille. Une éternité, me semblait-il. Elle semblait avoir vieilli et son expression me paraissait plus profonde – à moins que ce ne fût moi qui voyais plus profondément en elle.

Ses yeux se posèrent tour à tour sur Truttwell et sur moi.

– Vous ne m'avez pas laissé beaucoup de temps.

– Nous n'en avons guère.

– Il faut que nous parlions avec Nick, dit l'avocat. C'est important. Mme Chalmers est d'accord.

– La décision appartient au Dr Smitheram.

Elle alla chercher son mari qui ne tarda pas à faire son apparition. L'air furieux, il marchait à grands pas et les pans de sa blouse blanche flottaient derrière lui.

– Vous n'abandonnez pas facilement! lança-t-il à Truttwell.

– Je n'abandonne jamais, mon vieux. Nous avons l'intention de voir Nick et je crains fort que vous ne puissiez nous en empêcher.

Tournant le dos à Truttwell, Smitheram s'adressa à Mme Chalmers.

— Quelle est votre position?

— Il serait préférable que vous nous laissiez entrer, docteur, répondit-elle sans lever les yeux.

— Vous avez repris Me Truttwell comme avocat?

— Oui.

— Et M. Chalmers est d'accord?

— Il le sera.

Le psychiatre la scruta attentivement.

— A quelles pressions obéissez-vous?

— Vous perdez votre temps, docteur, l'interrompit Truttwell. C'est à votre patient que nous voulons parler, pas à vous.

— Parfait, fit Smitheram, ravalant sa colère.

Sa femme et lui nous pilotèrent le long d'un couloir aboutissant à une porte verrouillée qu'ils refermèrent soigneusement. Il y avait huit à dix chambres dans cette aile. Dans la première, une femme qui avait des velléités de suicide était assise sur le plancher capitonné. Elle nous regarda passer à travers un épais hublot.

La chambre de Nick n'était pas fermée. Assis dans un fauteuil, il lisait un manuel de cours. Avec sa légère robe de chambre de laine, on eût dit n'importe quel étudiant interrompu dans son travail. A la vue de sa mère, il se leva. Ses yeux noirs et écarquillés luisaient dans son visage blême. Ses lunettes de soleil étaient posées sur le bureau à côté de lui.

— Bonjour, mère. Bonjour, monsieur Truttwell. (Son regard effleura chacun de nos visages sans se poser sur aucun.) Où est papa? Et Betty?

— Il ne s'agit pas d'une réunion mondaine, laissa tomber Truttwell, encore que nous soyons contents de vous voir. Nous avons quelques questions à vous poser.

– Et tâchez qu'elles soient aussi brèves que possible, grommela Smitheram. Asseyez-vous, Nick.

Moira prit le livre, y glissa un signet et alla se
planter devant la porte. Irène Chalmers prit place
sur la chaise. Truttwell et moi nous assîmes sur le
lit en face de Nick.

– Je ne tournerai pas autour du pot, commença
l'avocat. Il y a une quinzaine d'années, quand vous
n'étiez encore qu'un petit garçon, vous avez tué un
homme au dépôt des chemins de fer.

Nick leva les yeux vers Smitheram et demanda
d'une voix atone et désabusée :

– C'est vous qui le lui avez dit ?

– Absolument pas, protesta le médecin.

– Vous avez pris une grave responsabilité en
gardant le silence sur ce meurtre, docteur.

– Je sais mais j'ai agi au mieux des intérêts d'un
enfant de huit ans présentant des symptômes mor-
bides de repli sur soi-même. Le droit n'est pas
l'unique guide dans les affaires humaines. Et, même
dans ce cas-là, cet homicide était défendable. A tout
le moins, il a été accidentel.

– Je ne suis pas venu pour avoir une discussion
juridique ou déontologique avec vous, docteur,
répliqua Truttwell d'une voix lasse.

– Alors, n'attaquez pas mes motifs.

– Qui sont, bien entendu, d'une blancheur de
neige ?

Smitheram eut un geste menaçant, mais Moira le
retint en posant la main sur son coude. Truttwell en
revint à Nick :

– Vous allez tout me dire sur cette affaire. Est-ce
que cela a été un accident ?

– Je ne sais pas.

– Eh bien, racontez-moi simplement comment
cela s'est passé. Et, d'abord, pourquoi êtes-vous allé
à cet endroit ?

– Je rentrais de l'école quand cet homme m'a fait monter dans sa voiture, répondit le jeune homme sur un débit haché comme si sa mémoire fonctionnait par à-coups à la manière d'un télétype. Je n'aurais pas dû accepter, je sais, mais il avait l'air terriblement sérieux. Et il me faisait pitié. Il était vieux, malade. Il m'a posé des tas de questions : qui était ma mère, qui était mon père, quand j'étais né et où. Et puis il m'a dit que j'étais son fils. Je ne l'ai pas vraiment cru, mais ma curiosité était assez éveillée pour que je l'accompagne jusqu'au campement. Il m'a conduit derrière la vieille rotonde. Quelqu'un avait laissé un feu allumé. Nous y avons remis un peu de bois et nous nous sommes assis à côté. Il a sorti de sa poche une flasque de whisky. Après avoir bu une gorgée, il m'a fait goûter. Ça m'a emporté la bouche. Mais lui, il avalait ça comme si c'était de l'eau. Il a fini la bouteille. Du coup, il s'est mis à se conduire bizarrement. Il chantait de vieilles chansons et il est devenu sentimental. Il disait que j'étais son petit garçon chéri, que, lorsqu'il aurait fait valoir ses droits, il aurait la situation qu'il méritait et s'occuperait de moi. Il a commencé à me caresser et à m'embrasser. C'est alors que je l'ai tué. Il avait un revolver dans la ceinture de son pantalon. Je m'en suis emparé, j'ai tiré et il est mort.

Le visage pâle de Nick était demeuré impassible pendant ce récit mais sa respiration s'était faite haletante.

– Qu'avez-vous fait de l'arme ? lui demandai-je.

– Rien. Je l'ai laissée et je suis rentré à la maison. Plus tard, j'ai avoué à mes parents ce que j'avais fait. Sur le moment, ils ne m'ont pas cru. Mais les journaux ont parlé de la découverte du mort. Du coup, ils ont compris que j'avais dit la vérité et ils m'ont emmené chez le Dr Smitheram. Depuis, il ne me quitte plus, ajouta-t-il avec amertume. Je regrette de ne pas être allé tout de suite à la police.

Ses yeux étaient braqués sur sa mère qui s'était à demi détournée.

– La décision ne vous appartient pas, fis-je. Mais revenons-en à l'assassinat de Sidney Harrow.

– Dieu du ciel! Vous croyez que c'est moi qui l'ai tué?

– C'est ce que vous m'avez laissé entendre. Vous ne vous rappelez pas?

Son regard se perdit au loin.

– J'étais déboussolé, n'est-ce pas? Le problème, c'est que j'avais vraiment l'impression d'avoir tué Harrow. Je suis allé à son motel, ce soir-là, pour m'expliquer avec lui. Jean m'avait donné son adresse. Il n'était pas là. Mais je l'ai trouvé dans sa voiture, devant la plage.

– Mort ou vivant?

– Mort. Le revolver était par terre, à côté de l'auto. Je l'ai ramassé et il y a eu comme un déclic dans ma tête. Ça a été soudain comme si le sol s'effondrait sous moi, littéralement. Sur le moment, je me suis dit : c'est un tremblement de terre. Et puis, j'ai compris que c'était moi. Je suis resté longtemps dans le cirage. Je voulais me suicider. C'était comme si ce revolver exigeait que je l'utilise d'une façon ou d'une autre.

– Vous l'aviez déjà utilisé, Nick. Dans le dépôt de chemin de fer, autrefois...

– Comment est-ce possible?

– Ça, je l'ignore, mais il s'agit bel et bien du même revolver. La police en a la preuve balistique. Vous êtes certain de l'avoir laissé auprès du cadavre?

Il était à nouveau dérouté et nous dévisageait chacun à notre tour avec ahurissement. Il mit ses lunettes noires.

– Le cadavre de Harrow?

– Non, celui d'Eldon Swain. L'homme qui prétendait être votre père. Avez-vous laissé l'arme à côté du corps, Nick?

– Oui. Je suis sûr de ne pas l'avoir rapportée à la maison.

– Alors, quelqu'un d'autre l'a prise, l'a conservée pendant quinze ans et s'en est servi pour exécuter Harrow. Mais qui?

– Je n'en ai aucune idée, murmura Nick en secouant la tête de droite à gauche.

Smitheram intervint :

– Cela suffit. D'ailleurs, cet interrogatoire ne vous avance à rien.

Il y avait de l'angoisse dans ses yeux, mais je me demandai si c'était pour Nick qu'il s'inquiétait. J'étais incapable de le dire.

– J'ai appris des tas de choses, docteur. Et Nick aussi.

– Oui, fit l'intéressé en levant les yeux. Cet homme était-il vraiment mon père comme il le prétendait?

– C'est à votre mère qu'il faut poser cette question.

– Alors, maman? Etait-ce mon père?

Irène Chalmers regarda tout autour d'elle comme une bête traquée. On eût dit qu'un piège de plus s'était refermé sur elle. La pression du silence fit jaillir les mots de sa bouche :

– Je n'ai pas à répondre à cette question et je n'y répondrai pas.

– Ce qui veut dire que c'était bien mon père?

La tête baissée, elle ne regardait pas Nick. Elle ne desserra pas les dents. Truttwell se leva et lui mit la main sur l'épaule. Elle appuya la joue sur les doigts de l'avocat. Cette main tavelée par l'âge faisait un étrange contraste à côté de son épiderme lisse.

– J'étais sûr que Lawrence Chalmers ne pouvait pas être mon père! s'écria Nick avec force.

– Comment le saviez-vous? lui demandai-je.

– A cause des lettres... Je ne me souviens pas exactement des dates, mais il y avait quelque chose qui ne collait pas.

– Et c'est pour cela que vous les avez prises dans le coffre?

– Pas exactement. Sidney Harrow et Jean Trask sont venus me voir. Ils m'ont raconté une histoire sans queue ni tête. D'après eux, Lawrence Chalmers était un assassin. J'ai pris les lettres pour leur prouver qu'ils se trompaient. Il combattait dans le Pacifique quand le vol a eu lieu.

– Quel vol?

– Selon Jean, il aurait escroqué une somme énorme à son père. Un demi-million de dollars ou quelque chose comme ça. Mais les lettres prouvaient que Harrow et elle se trompaient. Le jour de ce prétendu détournement – je crois que c'était le 1er juillet 1945 – mon pè... M. Chalmers était à bord de son porte-avions. Et en apportant cette preuve, ajouta-t-il avec une ironie amère, je démontrais en même temps par A plus B qu'il ne pouvait être mon père. Je suis né le 14 décembre 1945. Neuf mois auparavant, au moment où j'ai été...

Le mot lui échappa et il se tourna vers sa mère. Je l'aidai :

– Au moment de votre conception?

– Au moment où j'ai été conçu, il était en mer. Tu m'as entendu, mère?

– Oui.

– Tu n'as pas d'autre commentaire à faire?

– Pourquoi te dresses-tu contre moi? dit-elle

d'une voix basse. Je suis ta mère. Qu'est-ce que cela peut te faire de savoir qui était ton père?

– Figure-toi que j'y attache de l'importance.

– J'ai quelques-unes de ces lettres sur moi. (Je sortis les trois lettres que j'avais rangées dans mon portefeuille et les montrai à Nick.) Je suppose que ce sont celles-ci qui vous ont plus particulièrement intéressé.

– Oui. Où les avez-vous trouvées?

– Dans votre appartement.

– J'aimerais les voir.

Je les lui tendis et il les parcourut rapidement.

– Celle-ci, il l'a écrite le 15 mars 1945 : *Très chère mère, je suis à nouveau en première ligne, de sorte que cette lettre ne partira pas tout de suite.* Cela semble incontestablement indiquer que mon père n'était pas l'aspirant L. Chalmers. (Il dévisagea sa mère d'un air sombre.) L'homme que j'ai tué au dépôt du chemin de fer... qui était-ce?

– En réalité, tu ne veux pas avoir de réponse à cette question.

– Ce qui signifie que la réponse est oui, laissa-t-il tomber avec une sorte d'âpre satisfaction. Voilà en tout cas un point d'acquis. Quel était son nom? Le nom de mon père?

– Eldon Swain, fis-je devant le mutisme d'Irène Chalmers. Le père de Jean Trask.

– Elle disait que nous étions frère et sœur. C'était donc vrai?

– Je ne connais pas les réponses, Nick. Apparemment, vous les connaissez mieux que moi, mais j'ai une question capitale à vous poser : pourquoi êtes-vous allé chez Jean Trask à San Diego?

Il secoua la tête.

– Je ne m'en souviens pas. J'ai un trou de mémoire. Je ne me rappelle même pas m'être rendu à San Diego.

Le Dr Smitheram tenta à nouveau d'intervenir :

– Je suis obligé de vous demander maintenant de cesser cet interrogatoire. Je ne veux pas que vous réduisiez à néant les résultats que j'ai obtenus depuis deux jours.

– Il faut en finir, dit Truttwell.

– Moi aussi, je veux en finir, murmura Nick.

– Moi également, dit Moira, sortant enfin de son long silence.

Smitheram lui décocha un regard glacé.

– Il ne me semble pas t'avoir demandé ton avis.

– Eh bien, tu l'as quand même. Terminons-en.

Elle parlait d'une voix lasse, d'une voix de coupable. Nous nous affrontâmes du regard tous les deux comme si nous étions seuls.

– Quand la mémoire vous est-elle revenue? demandai-je à Nick.

– Le soir, à l'hôpital. Quand j'ai repris mes esprits, j'avais un trou d'une journée.

– Et quel est le dernier souvenir que vous conservez d'avant cette journée?

– Le moment de mon réveil. Je n'avais pas dormi de la nuit. Des tas d'idées me tournaient dans la tête et je me sentais terriblement déprimé. Je revoyais sans cesse cette scène atroce dans le dépôt du chemin de fer. Je sentais l'odeur du feu, l'odeur du whisky. Alors, j'ai pensé à prendre un ou deux comprimés. Je suis allé dans la salle de bains mais, en voyant les flacons remplis de cachets rouges et jaunes, j'ai changé d'avis. J'ai décidé de les avaler tous pour en finir.

– Et c'est à ce moment que vous avez écrit votre message d'adieu?

Il réfléchit quelques secondes.

– Oui, juste avant d'absorber les comprimés.

– Combien en avez-vous pris?

– Je n'ai pas compté. Deux bonnes poignées, je crois, suffisamment pour me supprimer. Mais je ne pouvais quand même pas rester dans la salle de bains à attendre la mort. J'ai sauté par la fenêtre. J'ai dû tomber et me cogner le crâne. (Il posa les lettres sur son lit et se caressa la tempe avec précaution.) Après, je ne me rappelle plus rien jusqu'au moment où je me suis réveillé à l'hôpital de San Diego. J'ai déjà expliqué tout cela au Dr Smitheram.

Je louchai du côté de celui-ci. Il n'écoutait pas : il était en train de parler à voix basse à sa femme.

– Docteur Smitheram ?

Il se tourna brusquement, mais ce n'était pas parce que je l'appelais.

– Si nous jetions un coup d'œil là-dessus ? fit-il en s'emparant des lettres.

Il les feuilleta et se mit à lire tout haut : *Les pilotes font un peu penser à ces chevaux de course développés à un point presque malsain. J'espère ne pas donner cette impression à autrui. Notre chef d'escadrille, le commandant Wilson, appartient cependant à cette catégorie. (Je peux le dire, il ne censure plus le courrier.) Cela fait plus de quatre ans qu'il se bat dans le Pacifique. Pourtant, c'est toujours le distingué diplômé de Yale qu'il était au début de la guerre. On a pourtant le sentiment d'un homme dont le développement s'est arrêté. Il a donné le meilleur de lui-même à la guerre...*

– Vous lisez remarquablement bien, docteur, coupa sèchement Truttwell, mais le moment est plutôt mal choisi.

Smitheram se tourna vers sa femme comme s'il n'avait pas entendu :

– Comment s'appelait mon chef d'escadrille à bord du *Sorrel Bay* ?

– Wilson, répondit Moira d'une voix vacillante.

– Tu ne te rappelles pas une lettre que je t'ai écrite en mars 1945 et dans laquelle je tenais les mêmes propos sur son compte?

– Je m'en souviens vaguement. En tout cas, je te fais confiance.

Mais Smitheram n'était pas satisfait. Il continua de feuilleter rageusement les lettres au risque de les déchirer.

– Ecoute ça, Moira : *Nous sommes tout près de l'équateur et il fait rudement chaud, mais je n'ai pas l'intention de me plaindre. Si, demain, nous ne quittons pas cet atoll, j'essaierai de prendre un bain, ce qui ne m'est pas arrivé depuis des mois. La dernière fois, c'était à Pearl Harbor. L'un de mes plus grands plaisirs de la journée est la douche du soir,* etc. Plus loin, je lis que Wilson s'est fait descendre au-dessus d'Okinawa. Je me rappelle parfaitement t'avoir écrit cela au cours de l'été 1945. Comment expliques-tu ça, Moira?

– Je ne me l'explique pas, murmura-t-elle, les yeux baissés. Et je ne m'y risquerai pas.

Truttwell se pencha sur l'épaule de Smitheram, et jeta un coup d'œil sur la lettre.

– Je présume que ce n'est pas votre écriture. Non, ce n'est pas elle. (Il ménagea une pause avant de poursuivre :) C'est celle de Lawrence Chalmers, n'est-ce pas? Devons-nous en conclure que ses lettres de guerre à sa mère étaient des faux?

– Absolument! s'exclama Smitheram en secouant le paquet de lettres sans quitter des yeux sa femme qui gardait la tête baissée. Je ne comprends toujours pas comment on a bien pu écrire ces missives.

– Chalmers a-t-il servi comme pilote dans l'aéronavale? s'enquit Truttwell.

– Non. Il a demandé à faire un stage de pilote, mais il a été jugé inapte. D'ailleurs, la Marine l'a

268

renvoyé à la vie civile quelques mois après qu'il eut été appelé sous les drapeaux.

– Pour quelle raison? demandai-je.

– Pour troubles mentaux. Il avait craqué alors qu'il faisait ses classes. Ce genre d'incident arrivait à pas mal de jeunes recrues plus ou moins schizoïdes quand ils essayaient de se mettre dans la peau d'un militaire, en particulier ceux qui avaient été écrasés par leurs parents, ce qui était le cas de Larry.

– Vous semblez être très au fait de ce cas, docteur?

– J'ai eu à m'occuper de Larry quand j'étais à l'hôpital naval de San Diego. On l'y a soigné quelques semaines avant de lui rendre sa liberté. Et, par la suite, j'ai toujours continué à le traiter, sauf pendant les deux années où j'étais affecté en mer.

– C'est pour cela que vous vous êtes installé à Pacific Point?

– Oui, en partie. Il m'était reconnaissant et il m'a proposé de m'aider à me faire une clientèle. Sa mère était morte et lui avait laissé pas mal d'argent.

– Il y a quelque chose que je ne saisis pas, fit Truttwell. Comment a-t-il réussi à nous avoir avec ces lettres contrefaites? Il lui a bien fallu falsifier les cachets de la poste. Et comment pouvait-il recevoir les réponses s'il n'était pas dans la Marine?

– Il travaillait à la poste. C'est moi-même qui lui avais trouvé cet emploi avant d'embarquer. J'imagine qu'il avait une boîte spéciale. (Smitheram se tourna vers sa femme comme si une force irrésistible l'y obligeait.) Moi, ce que je ne comprends pas, c'est comment il a eu l'occasion, et à de multiples reprises, de recopier les lettres que je t'adressais.

– Il a dû les emprunter, répondit Moira.

– Est-ce que tu le savais?

Elle acquiesça d'un air lugubre.

— En fait, il m'a demandé de les lui prêter. Pour les lire, soi-disant. Mais je devine pourquoi il les a recopiées. Tu étais un héros à ses yeux. Il te vouait un culte et cherchait à s'identifier à toi.

— Quels étaient ses sentiments à ton égard?

— Il m'aimait bien. Et il ne s'en cachait pas, même avant ton départ.

— Et après, le voyais-tu régulièrement?

— Il m'aurait été difficile de faire autrement. Nous habitions porte à porte.

— Au *Magnolia Hôtel?* C'est-à-dire que vous aviez des chambres mitoyennes?

— Tu m'avais demandé de veiller sur lui.

— Mais pas de vivre avec lui! Avez-vous vécu ensemble?

Il fanfaronnait comme un homme qui sait qu'il se fait du mal à lui-même mais qui s'entête à continuer.

— Oui, nous avons vécu ensemble et je n'en ai pas honte. Il avait besoin de quelqu'un. S'il a gardé sa raison, c'est peut-être autant à moi qu'à toi qu'il le doit.

— Ah bon! C'était de la thérapeutique? C'est pour cela que tu as voulu revenir ici après la guerre. C'est pour cela qu'il...

Moira l'arrêta net dans son élan.

— Tu divagues, Ralph. Comme toujours quand il s'agit de moi. Je l'avais quitté longtemps avant que tu ne reviennes.

Irène Chalmers leva la tête.

— C'est la vérité. Je l'ai épousé en juillet...

Truttwell lui posa la main sur la bouche.

— Ne dites rien, Irène.

Dans le silence revenu s'éleva la voix tendue de Moira.

— Tu étais au courant de mes rapports avec lui,

270

Ralph. C'est une chose que l'on ne peut pas ignorer quand on traite un malade pendant vingt-cinq ans. Mais tu as préféré agir comme si tu ne savais rien.

— Si j'avais fait ce choix... je ne dis pas que je l'ai fait mais si je l'avais fait, ç'aurait été dans l'intérêt de mon patient et non dans le mien.

— Tu le crois réellement?

— C'est la vérité.

— Tu te racontes des histoires, mais tu es bien le seul à les croire. Tu savais aussi bien que moi que Larry Chalmers était un mythomane. Mais nous étions tous les deux d'accord pour être complices de ses fabulations afin de mieux le tondre.

— C'est toi qui fabules, Moira.

— Tu sais bien que non.

Tandis que Smitheram nous scrutait pour savoir si nous le condamnions, sa femme sortit. Je la rejoignis dans le couloir.

36

Je la rattrapai devant la porte fermée à double tour. C'était la seconde fois depuis que nous nous connaissions qu'elle éprouvait de la difficulté à ouvrir une serrure. Comme je lui en faisais la remarque, elle se retourna et me décocha un regard fulminant.

— Oublions ce qui s'est passé cette nuit. C'est du passé. Un passé si lointain que c'est à peine si je me rappelle votre nom.

— Je croyais que nous étions amis.

— Moi aussi. Mais vous avez tout brisé.

Elle tendit le bras en direction de la chambre de

Nick. La suicidaire de la cellule capitonnée se mit à gémir et à crier.

Finalement, Moira réussit à ouvrir la porte et me précéda dans son bureau. La première chose qu'elle fit fut de sortir son sac du tiroir et de le poser sur la table, prête à partir.

– Je quitte Ralph. Et, de grâce, ne me demandez pas de venir vous rejoindre. Vous ne m'aimez pas suffisamment.

– C'est une habitude, chez vous, de penser à la place des gens?

– Bon... Si vous voulez! Disons que je ne m'aime pas suffisamment moi-même.

Elle se tut et jeta un coup d'œil autour d'elle. Les toiles accrochées aux murs, tels des miroirs subtils, semblaient refléter sa fureur – une fureur dirigée contre elle-même.

– J'ai horreur de faire de l'argent avec les souffrances d'autrui. Vous me comprenez?

– Pardi! C'est comme cela que je gagne ma vie.

– Oui, mais vous ne faites pas cela pour l'argent.

– J'essaie. A partir du moment où on a un revenu qui dépasse un certain seuil, on décroche. Brusquement, les autres deviennent des sortes de pantins que l'on peut sacrifier.

– C'est ce qui s'est passé pour Ralph. Mais je ne veux pas finir comme lui. (C'était moins de la crainte que de l'espoir qui vibrait dans sa voix.) Je vais reprendre mon travail d'assistante sociale. En fait, c'est celui-là que j'aime vraiment. Je n'ai jamais été aussi heureuse qu'à l'époque où je vivais dans une petite chambre à La Jolla.

– Porte à porte avec Sonny.

– Oui.

– Lawrence Chalmers et lui ne font qu'un, n'est-ce pas?

272

Elle acquiesça.

— Et la fille qui vous a succédé était Irène Chalmers?

— Oui. En ce temps-là, elle s'appelait Rita Shepherd.

— Comment le savez-vous?

— Sonny m'a tout raconté. Il l'avait rencontrée deux ans auparavant à San Marino. Ils s'étaient baignés ensemble. Et, un beau jour, elle est venue au bureau de poste où il travaillait. Il a été follement bouleversé sur le moment et, maintenant, je comprends pourquoi : il craignait que l'on ne découvre son secret et que sa mère n'apprenne qu'au lieu d'être un pilote de l'aéronavale, il n'était qu'un modeste postier.

— Etiez-vous au courant de cette mystification?

— Je savais naturellement qu'il menait une double vie imaginaire. Le soir, il se promenait en tenue d'officier. Mais, en ce qui concernait sa mère, je ne savais pas. Il y avait un certain nombre de choses dont il ne parlait pas, même à moi.

— Que vous a-t-il dit au juste à propos de Rita Shepherd?

— Il m'en a dit suffisamment. Elle vivait avec un homme plus âgé qu'elle qui la cachait à Imperial Beach.

— Oui, Eldon Swain.

— C'était son nom? Tout finit par se recouper, n'est-ce pas? murmura-t-elle après un instant de réflexion. Je ne m'étais pas rendu compte à quel point je côtoyais la vie et la mort. Ce n'est sans doute qu'après qu'on s'en aperçoit. Toujours est-il que Rita a changé de partenaire. Elle a jeté son dévolu sur Sonny et je me suis effacée. A ce moment, cela ne m'importait guère. J'en avais assez de le surveiller et c'était bien volontiers que je passais la main.

– Néanmoins, je ne comprends pas comment vous avez pu vous intéresser à lui pendant plus de deux ans. Et pas davantage comment une femme comme son épouse a pu s'éprendre de lui.

– Vous savez, ce ne sont pas toujours les solides vertus qui séduisent les femmes. Sonny avait de sérieuses tendances névrotiques. Il fallait qu'il essaie à peu près tout au moins une fois.

– J'aurais intérêt à cultiver mes propres tendances névrotiques. J'avoue cependant que Chalmers dissimule parfaitement les siennes.

– Il a vieilli et il est en permanence sous tranquillisants.

– Quels tranquillisants prend-il? De la nembuserpine?

– Je vois que vous avez une idée de derrière la tête.

– Est-il gravement atteint?

– Sans des soins d'entretien et sans drogues, il faudrait sans doute l'hospitaliser. Mais avec ces adjuvants, il arrive à mener une vie assez bien équilibrée.

On aurait dit un représentant de commerce qui ne croit pas tellement à la vertu des produits qu'il prône.

– Est-il dangereux, Moira?

– Il pourrait l'être dans certaines circonstances.

– Si quelqu'un découvrait qu'il est un simulateur, par exemple?

– Peut-être.

– Vous voilà en train de faire une forte consommation de peut-être. Il y a plus de vingt-cinq ans que votre mari le soigne, vous l'avez vous-même souligné. Vous devez quand même avoir une opinion sur lui.

– En effet, nous savons pas mal de choses sur son compte mais les rapports médecin-malade ne sont pas des choses dont on débat sur la place publique.

– N'en soyez pas aussi sûre. Le secret ne s'applique pas aux crimes, réels ou potentiels, d'un patient. Je veux que vous me disiez si le Dr Smitheram et vous estimez qu'il constitue une menace pour Nick.

Elle éluda la question :

– Une menace de quel ordre?

– Une menace mortelle. Vous pensiez tous les deux qu'il représentait un péril pour Nick, n'est-ce pas?

Sa réponse fut muette. Elle se mit à décrocher les toiles, les empilant sur le bureau. Comme si elle cherchait à détruire symboliquement la clinique et son domaine réservé.

Un coup frappé à la porte l'interrompit. C'était l'employée de la réception.

– Mlle Truttwell désire parler à M. Archer. Je la fais entrer?

– J'arrive, dis-je.

La jeune fille contempla avec consternation les murs vides.

– Où sont passés vos tableaux, madame Smitheram?

– Je déménage. Si vous voulez me donner un coup de main...

– Avec plaisir.

Betty m'attendait au milieu du vestibule, apparemment très excitée.

– Le labo a trouvé plein de nembutal dans l'échantillon, m'annonça-t-elle. Il y a aussi de l'hydrate de chloral, mais d'autres analyses sont nécessaires pour en déterminer la quantité.

– Cela ne m'étonne pas.

– Qu'est-ce que cela veut dire, monsieur Archer?

– Que Nick s'est trouvé sur le siège arrière de la Rolls familiale quelque temps après avoir fait ses orgies de somnifères. Il a un peu vomi et c'est peut-être ce qui lui a sauvé la vie.

– Comment va-t-il?

– Il se rétablit à merveille. Je viens de bavarder avec lui.

– Est-ce que je peux le voir?

– En ce qui me concerne, je ne peux rien faire. Pour le moment, sa mère et votre père sont avec lui.

– Eh bien, je vais attendre.

J'attendis avec elle. Nous étions chacun absorbé par nos propres pensées. J'avais besoin de tranquillité. Toute l'affaire prenait forme dans mon esprit, se reconstruisait dans un espace intérieur à la manière du film d'une maison qui s'effondre, et que l'on passe à l'envers.

Irène Chalmers apparut au bras de Truttwell. Elle pesait sur lui de tout son poids et me fit penser à une rescapée après un naufrage. Elle avait abandonné Chalmers au profit de l'avocat, exactement comme, autrefois, elle était passée d'Eldon Swain à Chalmers.

A la vue de sa fille, Truttwell détourna les yeux d'un air gêné, mais sans se dégager de l'étreinte d'Irène Chalmers.

– Bonjour, papa, fit Betty en décochant au couple un regard qui en disait long. Bonjour, madame Chalmers. Il paraît que Nick va mieux?

– Oui, confirma son père.

– Pourrais-je le voir une minute?

Il hésita quelques instants, nous dévisageant alternativement, Betty et moi.

– Il va falloir poser la question au Dr Smitheram, finit-il par murmurer.

276

Il fit entrer Betty et referma soigneusement la porte.

A présent, j'étais seul avec Irène Chalmers. Elle en avait parfaitement conscience. Elle me regarda avec une sorte de courtoisie protocolaire engourdie dans l'espoir que les paroles que nous échangerions demeureraient des plus vagues.

— J'aimerais vous poser quelques questions, madame Chalmers.

— Je ne vous promets pas d'y répondre.

— Je voudrais savoir une fois pour toutes si Eldon Swain était le père de Nick?

Elle me considéra avec une espèce de passivité farouche.

— C'est probable. En tout cas, il croyait l'être. Mais ne comptez pas sur moi pour révéler à Nick qu'il a tué son père naturel...

— Désormais, il le sait. Et vous ne pouvez plus continuer à vous servir de lui comme d'un rempart.

— Je ne comprends pas ce que vous voulez dire.

— C'est pour vous et non dans son intérêt à lui que vous avez étouffé tous les faits relatifs à Eldon Swain et à sa mort. Vous lui avez laissé porter le fardeau de la culpabilité et payer à votre place.

— Il n'y a rien eu à payer.

— Mais cela a été un calvaire pour Nick pendant quinze ans! On n'a pas le droit d'agir ainsi avec son propre fils! Ni avec personne.

Elle baissa la tête comme prise de remords, mais se contenta de murmurer :

— Je ne reconnaîtrai rien.

— Ce ne sera pas nécessaire. J'ai suffisamment de preuves matérielles et de témoignages oculaires pour vous confondre devant un tribunal. J'ai parlé avec votre père et avec votre mère, avec M. Rawlinson, avec Mme Swain et aussi avec Florence Williams.

– Qui est cette personne?

– La propriétaire des chalets d'Imperial Beach.

Elle leva la tête et passa la main sur son visage comme si ses yeux étaient recouverts de poussière ou de toiles d'araignées.

– Je regrette bien d'avoir mis les pieds dans ce dépotoir, je vous le jure! Mais vous en serez pour vos frais : il est trop tard, à présent. J'étais à peine adolescente à l'époque. Et quoi que j'aie pu faire après, c'est couvert par la prescription.

– Qu'avez-vous fait?

– Vous ne me ferez pas témoigner contre moi-même. Je vous ai déjà dit que je me retranche derrière le cinquième amendement. John Truttwell va revenir dans un instant, ajouta-t-elle d'une voix plus assurée, et c'est son rayon. Si vous voulez faire le méchant, il sera encore plus méchant que vous.

Je savais que je m'aventurais sur un terrain peu solide, mais c'était peut-être ma seule chance de percer les défenses de Mme Chalmers. Et la façon dont elle réagissait à mes accusations tout comme ses faux-fuyants confirmaient l'image que je me faisais d'elle.

– Si John Truttwell savait ce que je sais sur votre compte, il ne vous toucherait pas avec des pincettes.

Cette fois, elle resta coite. Elle se laissa tomber brusquement sur la chaise qui se trouvait près de la porte. Je me plantai devant elle.

– Qu'est devenu l'argent?

Elle se tortilla pour fuir mon regard.

– De quel argent parlez-vous?

– Celui qu'Eldon Swain a volé à la banque.

– Il est passé au Mexique avec le magot. Moi, je suis restée à Dago. Il m'avait promis d'envoyer

278

quelqu'un me chercher, mais personne n'est jamais venu. Alors, j'ai épousé Larry Chalmers. C'est tout.

– Qu'est-ce que Swain a fait de cet argent, au Mexique?

– J'ai entendu dire qu'il l'avait perdu. Il s'est fait dévaliser à Baja par deux bandits.

– Comment s'appelaient ces bandits, Rita?

– Que voulez-vous que j'en sache? Ce n'était qu'un bruit qui m'est revenu aux oreilles.

– Eh bien, voici un autre bruit mieux fondé. Les bandits en question avaient nom Larry et Rita. Et ce n'est pas au Mexique qu'ils ont dévalisé Swain. Il n'a jamais franchi la frontière. Vous avez organisé un guet-apens et vous l'avez désigné comme victime à Larry. Et puis les deux bandits vécurent heureux. Jusqu'à maintenant.

– Vous ne pourrez jamais le prouver!

Elle criait presque comme pour noyer ma voix et la rumeur du passé. La porte s'ouvrit et Truttwell entra.

– Que se passe-t-il? demanda-t-il en me décochant un regard sévère. Que cherchez-vous à prouver?

– Nous étions en train de parler du magot fantôme de Swain. Mme Chalmers affirme que des bandits mexicains s'en sont emparés. Mais moi, je suis à peu près certain qu'il est tombé dans un piège et que ce sont Larry et elle qui ont fait le coup. Cela a dû se passer un jour ou deux après que Swain eut détourné les fonds et eut rallié San Diego où elle l'attendait.

Mme Chalmers leva la tête comme si, en reconstituant ce scénario de chic, j'avais mis le doigt sur un fait bien réel. Truttwell remarqua la lueur qui s'était allumée dans les yeux de Rita et qui la trahissait. Son visage s'ouvrit et se referma telle une main crispée.

– Ils ont apporté l'argent chez sa mère, à Pacific Point, à bord d'une voiture volée, poursuivis-je. C'était le 3 juillet 1945. Et ils ont mis sur pied un cambriolage à l'envers. Cela n'a pas été difficile puisque la mère de Larry était aveugle et qu'il possédait certainement les clés, de même qu'il connaissait la combinaison du coffre. Ils ont caché leur trésor et se sont enfuis.

Mme Chalmers bondit sur ses pieds et s'approcha de Truttwell qu'elle empoigna par le bras.

– Ne le croyez pas! Cette nuit-là, j'étais à plus de soixante-quinze kilomètres de Pacific Point.

– Et Larry?

– Oui... C'est lui qui a tout fait. Sa mère ne se servait pas du coffre. Elle avait perdu la vue et il avait pensé que c'était une planque idéale... je veux dire...

Truttwell la prit par les épaules.

– Si, vous étiez avec Larry ce soir-là. N'est-ce pas?

– Il m'a forcée à l'accompagner sous la menace d'un revolver.

– Autrement dit, c'était vous qui conduisiez. Et c'est vous qui avez tué ma femme.

– C'était la faute de Larry. Elle l'avait reconnu, comprenez-vous? Alors, il a braqué le volant que je tenais et a écrasé mon pied sur l'accélérateur. Je n'ai rien pu faire. La voiture a foncé droit sur elle. Il m'a obligée à continuer et nous ne nous sommes arrêtés qu'à Dago.

Truttwell la secoua.

– Vous me prenez pour un naïf? Où est votre mari?

– A la maison. Je vous ai dit qu'il ne se sent pas très bien. Il est amorphe et hébété.

– Il est encore dangereux, dis-je à l'avocat. Ne

pensez-vous pas qu'il serait préférable d'avertir Lackland?

– Pas avant que je n'aie eu un entretien avec Chalmers. Vous venez avec moi, hein? Vous aussi, madame Chalmers.

Nous montâmes dans la voiture de Truttwell. Irène Chalmers, assise entre nous deux, gardait les yeux fixés très loin sur la chaussée de l'autoroute comme un sujet qui attire les accidents sur lui et vit perpétuellement dans la terreur de la prochaine catastrophe.

– Où étiez-vous l'autre matin quand Nick a avalé toutes ces drogues? lui demandai-je.

– Je dormais. J'avais pris, moi aussi, deux comprimés d'hydrate de chloral dans la soirée.

– Votre mari dormait-il également?

– Je ne sais pas. Nous faisons chambre à part.

– Quand est-il parti à la recherche de Nick?

– Juste après votre départ.

– Dans la Rolls?

– Oui.

– Où est-il allé?

– Un peu partout, je suppose. Quand il est excité, il ne cesse de tourner en rond, un vrai maniaque. Après, il peut rester prostré pendant une semaine comme une marionnette sans fils.

– Il est allé à San Diego, madame Chalmers. Et j'ai la preuve que Nick gisait, inconscient, enveloppé dans une couverture à l'arrière de la voiture.

– Cela n'a aucun sens!

– Pour votre mari, cela en avait malheureusement un. Il a intercepté votre fils dans le jardin quand Nick a sauté par la fenêtre. Il l'a assommé avec une bêche ou un outil quelconque et l'a caché dans la Rolls en attendant d'être prêt à se rendre à San Diego.

– Pourquoi aurait-il agi de la sorte avec son propre fils?

– Nick n'est pas son fils. C'est le fils d'Eldon Swain et votre mari le savait. Vous oubliez votre propre passé, madame Chalmers.

Elle me lança un regard en biais.

– Je voudrais bien!

– Nick savait, lui aussi, qui était son père – ou il s'en doutait. Toujours est-il qu'il s'était mis en tête d'apprendre la vérité sur la mort d'Eldon Swain. Et il s'en rapprochait de plus en plus.

– C'est Nick lui-même qui a tué Eldon.

– Oui, tout le monde le sait, à présent. Mais ce n'est pas Nick qui a traîné le cadavre jusqu'au brasero pour faire disparaître ses empreintes. Pour se livrer à ce genre d'exercice, il faut avoir la force d'un adulte – et un motif d'adulte. Ce n'est pas Nick qui a conservé le revolver de Swain et s'en est servi quinze ans plus tard pour abattre Sidney Harrow. Ce n'est pas Nick qui a assassiné Jean Trask, encore que votre mari ait fait de son mieux pour lui faire porter le chapeau. C'est pour cela qu'il a conduit Nick à San Diego.

– Est-ce Larry qui a tué tous ces gens?

Il y avait une sorte de respect dans le ton de Mme Chalmers.

– Je crains que oui.

– Et pourquoi?

– Ils en savaient trop long. C'était un homme malade qui s'efforçait de protéger ses fantasmes.

– Ses fantasmes?

– Le monde imaginaire dans lequel il vivait.

– Oui, je comprends.

Nous quittâmes l'autoroute à l'échangeur de Pacific Street. Derrière nous, en contrebas, un soleil rouge en train de sombrer faisait étinceler la mer. Dans l'étrange lumière crépusculaire qui la baignait, la demeure des Chalmers était irréelle et spectrale, un château en Espagne évoquant un passé qui n'avait jamais existé.

La porte d'entrée n'était pas fermée. Mme Chalmers appela son mari – « Larry! » – mais n'obtint pas de réponse. Elle se précipita sur Emilio lorsqu'il surgit, la démarche nonchalante, dans le couloir.

– Où est-il?

– Je ne sais pas, madame. Il m'a ordonné de ne pas quitter la cuisine.

– Lui avez-vous dit que j'ai examiné la Rolls?

Le valet détourna son regard du mien. Pas un son ne sortit de sa bouche.

Mme Chalmers avait gravi les quelques marches conduisant au bureau. Son poing s'abattit sur la porte de chêne sculptée. Elle passa sa langue sur ses doigts écorchés et se remit à tambouriner.

– Il est là! Il faut le faire sortir! Il va se tuer.

Je la repoussai et secouai la porte : elle était fermée à clé. De l'autre côté, c'était le silence. Un silence qui vous glaçait.

Emilio alla chercher à la cuisine un tournevis et un marteau pour faire sauter la porte hors de ses gonds.

Chalmers était assis dans le fauteuil pivotant du juge, son père, la tête bizarrement inclinée de côté. Il avait revêtu un uniforme d'officier de marine sur lequel brillaient les galons d'or de capitaine de frégate. Le sang ruisselant de sa gorge béante conférait une teinte uniforme à sa brochette de décorations. Un antique rasoir sabre reposait à côté de sa main abandonnée.

Mme Chalmers recula comme si du cadavre se dégageait un rayonnement laser mortel.

– Je le savais! Je savais que cela finirait comme ça. Déjà, il a voulu se tuer le jour où ils sont venus.

– Qui cela?

– Jean Trask et le gros bras qui l'escortait... Sidney Harrow. Je leur ai fermé la porte au nez, mais j'étais sûre qu'ils reviendraient. Larry aussi. Il a sorti le revolver du coffre-fort où il le gardait depuis quinze ans. Son idée, c'était un pacte de suicide. Il avait l'intention de me tuer et de se faire justice ensuite. Nous avons réussi, le Dr Smitheram et moi, à le convaincre de partir pour Palm Springs.

– Vous auriez mieux fait de ne pas l'empêcher de se tuer.

– Et de me descendre aussi par la même occasion? Tiens donc! Je n'étais pas disposée à mourir. Et je ne le suis pas davantage aujourd'hui.

Toute passion n'était pas éteinte en elle. A tout le moins, elle s'intéressait encore à elle-même. Comme nous gardions le silence, elle se tourna vers Truttwell.

– Vous êtes toujours mon avocat, hein? Vous me l'avez dit tout à l'heure.

Il secoua la tête. Ses yeux la traversaient, fixés sur un passé de tristesse ou un avenir de glace.

– Vous ne pouvez pas me laisser tomber maintenant! s'exclama-t-elle. Croyez-vous que je n'ai pas assez souffert? Je suis navrée pour votre femme. Il m'arrive encore de me réveiller en pleine nuit. Je la vois gisant au beau milieu de la route, semblable à un tas de vieilles nippes!

Truttwell la gifla d'un revers de main. Un peu de sang jaillit de sa bouche et coula le long de son menton telle une craquelure dans un marbre. Je m'interposai pour qu'il ne recommence pas. Ce n'était pas dans le style du personnage.

Mon intervention parut rendre courage à Mme Chalmers.

– Vous n'aviez pas besoin de me frapper, John. Je

suis assez malheureuse sans cela. Depuis que j'habite ici, j'ai l'impression de vivre dans une maison hantée. Et ce n'est pas une image. Cette fameuse nuit, tandis que nous enfournions les liasses dans le coffre, la vieille mère aveugle de Larry est entrée. Il faisait noir. Elle a demandé : « C'est toi, Sonny ? » J'ignore comment elle avait pu deviner que c'était lui. J'en avais la chair de poule.

— Et que s'est-il passé ? lui demandai-je.

— Il l'a reconduite dans sa chambre et il lui a parlé. Il a refusé de me dire ce qu'il lui avait raconté, mais elle n'est plus revenue. Elle nous a laissés tranquilles.

Truttwell se tourna vers moi.

— Estelle n'en a jamais soufflé mot. Elle est morte sans avoir révélé son secret à personne.

— Oui... Et maintenant, nous savons de quoi elle est morte. Elle avait compris ce que son fils était devenu.

Comme s'il m'entendait, le mort penchait la tête d'un air gêné. La veuve s'approcha de lui d'un pas de somnambule et lui caressa les cheveux.

Je restai avec elle tandis que Truttwell téléphonait à la police.

ACHEVÉ D'IMPRIMER SUR LES PRESSES
DE COX & WYMAN LTD. (ANGLETERRE)

N° d'édition : 2389
Dépôt légal : février 1994
Imprimé en Angleterre